epi

31

과 학 잡 지 에 피
대 통 령 과 과 학

과학잡지 에피 편집위원
전치형, 김초엽, 김현경, 송민령,
안주현, 윤신영, 이두갑, 전준,
최명애, 최형섭, 황승식

숨 — 키 워 드
EXHALATION

갓 — 뉴 스
ANSIBLE

들어가며

대통령에게
과학이란 무엇인가

에피 31호에서 '대통령과 과학'을 주제로 다루기로
한 것은 다소 급작스러운 결정이었다. 날마다
새로운 서비스와 이슈가 쏟아지는 '인공지능'도
있고, 과학잡지에서 언제 다루어도 이상하지 않은
'기후변화'도 있고, 또 2025년에 탄생 100주년을
맞는다는 '양자역학'도 있는데 굳이 대통령과 과학에 대한
얘기를 할 이유가 있겠는가. 대통령이 과학에 관심이
있든 없든, 과학자들을 좋아하든 싫어하든, 대통령 임기가
절반쯤 남은 애매한 시기에 과학잡지에서 대통령을
호출할 일은 좀처럼 없는 것이다. 연구개발 예산을 깎든
올리든 대통령이 자기 자리에서 자기 직을 수행한다면
과학은 또 과학대로 어떻게든 돌아갈 테니 말이다.

　　　이번 기획은 대통령 스스로 대통령이기를
포기하면서 모두가 처음 겪게 된 정치적, 심리적 진공을
메워보려는 생존 본능처럼 툭 튀어나왔다. '31호가
발간될 3월에는 대통령이 있는 건가, 없는 건가?', '2차
계엄이라도 하면 잡지를 계속 낼 수는 있는 건가?' 국회의
탄핵소추안이 아직 가결되지 않은 시점에 31호를 준비하며
'대통령'이라는 단어를 머릿속에서 지울 수 없었다.

　　　작금의 진공상태를 만든 현직 대통령과 과학의
관계에 대해 글을 쓸 필자를 찾기는 쉽지 않았다. 소재가
없다기보다는 그런 글을 (이 시기에) 쓰고 싶은 마음이 잘
안 들었으리라는 생각이 든다. 그런 마음이 들었다 해도

계엄령 전후로 군대가 어떻게 움직였는지, 대통령 공관에
바리케이드가 몇 겹으로 쳐 있는지, 대통령이 국회에서
끌어내려고 한 것이 '의원'인지 '인원'인지 속보가 쏟아지는
와중에 '그 대통령의 과학'에 대해 깊이 생각하는 일은
고역이었을 것이다.

　　　대신 에피 31호는 국내외의 몇몇 대통령과
그에 준하는 권력자들을 골라 각 시대의 과학을 돌아보는
기획을 준비했다. 다른 시대, 다른 나라에는 더 나은
지도자가 있었고 그래서 더 훌륭한 과학이 있었다는
주장을 하려는 것은 아니다. 혹은 과학 발전의 관점에서
평가할 때 더 나쁜 권력자도 많이 있었으니 우리 너무
좌절하지 말자고 위로하려는 것도 아니다. 우리에게도
'과학자 대통령'이 필요하다는 제안은 더욱 아니다.
선망이든 좌절이든 제안이든 현재의 극심한 혼란이
정리되기 전에는 별 의미가 없어 보인다.

　　　그럼에도 과학을 대통령이나 권력자의 이름을
통해 돌아볼 때 한 가지 사실은 분명히 드러난다. 과학도
시대의 산물이고 그 시대를 규정하는 권력에서 자유롭지
않다. 대통령이 과학의 모든 것을 좌우하지는 못하지만
과학은 대통령으로 상징되는 권력의 장 속에서 특정한
방향과 형태를 취하기 마련이다. 경제와 국방에 기여하는
도구적 과학도 그렇고 개인의 호기심을 따라가는 (것처럼
보이는) 순수한 과학도 그렇다. 대통령은 대개 과학자가

아니지만 과학은 그와 무관할 수 없다. 어떤 대통령과 그가 선포한 계엄이 한국 과학에 미친 영향은 한국 현대과학사의 일부로 꼼꼼하게 기록돼야 한다.

에피 32호가 발간될 여름에는 어떤 대통령과 어떤 과학이 새로 자리를 잡아가고 있을지 궁금하다. 적어도 과학잡지를 계속 낼 수는 있기를 바라본다.

전치형 편집주간

exh
tion

숨

ala

'숨'은 생명이 공기를 들이마시고 내쉬는 과정을 말합니다. '숨'을 통해 산소만이 아니라 영혼도 드나든다고 믿던 시절도 있었습니다. 그래서, 계절마다 중요한 문제를 하나씩 뽑고 그 문제에 대해서 여럿이 함께 답을 구하는 특집의 이름으로 골랐습니다. '숨(Exhalation)'은 같은 제목을 단 테드 창의 소설집에서 따왔습니다.

"오늘날 기술혁신시대에 있어서 한나라 과학 기술의
성패는 곧 국가의 발전에 직결된다고 하겠읍니다.
그것은 과학 기술의 힘이야말로 국가안보의
초석이요, 경제발전과 국민복지향상을 위한
원동력이 되기 때문인 것입니다. (중략) 특히
별다른 자원이 없는 우리의 여건 속에서 과학 기술의
진흥은 더없이 긴요한 일이 아닐 수 없읍니다.
없는 자원을 외국으로부터 들여와서 거기에 기술을
첨가하여 다시 외국으로 내보내는 일은 우리의
생존과 번영을 가름하는 중요한 열쇠가 되는
것입니다. 따라서 자원이 없는 우리가 가꾸어야 할
유일한 자원은 바로 최첨단기술로 무장한 풍부한
인력이라고 할 것입니다."

제15회 과학의 날 치사
1982년 4월 21일

경제·과학심의회의

'과학기술 대통령' 박정희가 꿈꾸었던 자강국가

<u>오동훈</u> 서울대학교 과학사 및 과학철학 협동과정(현재 과학학과)에서 박사학위를 받았으며, 현재 산업통상자원 R&D 전략기획단 MD로 재직 중이다. 한국생산성학회 이사, 한국과학기술기획평가원 본부장, 혁신공학연구소 대표 등을 역임했고, 현재 국가생존기술연구회 학술이사를 맡고 있다. 저서로 『우리과학 100년』, 『책임있는 혁신국가사람』, 『빅체인지』, 『국가생존기술』 등이 있다.

박정희 대통령이 현대 한국 과학기술 시스템의 청사진을
만든 설계자라는 점에는 이론의 여지가 거의 없다. 이
때문에 많은 사람들이 그를 '과학기술 대통령'이라 부른다.
실제로 서거 후 거의 반세기가 다 된 지금도 그의 유산이
한국의 과학기술에 긍정적이든 부정적이든 큰 위력을
발휘하고 있다.

자 각 과   통 찰

박정희 대통령이 우리나라 과학기술 발전에 가장 크게
기여한 바는 구체적인 정책보다도 현실에 대한 '자각'과
미래에 대한 '통찰'이었다. 1961년 1인당 국민소득이
82달러에 불과했던 낙후된 농업국가에서 박정희는
"가난에서 벗어나자"라는 기치를 내걸고 경제발전의
돌파구를 찾고자 했다. 노동력과 자본만으로 후진국에서
벗어날 수 없다는 것을 자각한 그는 '과학기술'을 선진국이
되기 위한 결정적인 요소로 정확하게 인식하고 과학기술
진흥을 국가 발전의 핵심 전략으로 삼았다.

왜 박정희는 집권 초반부터 '국가 발전을 위한
과학기술의 중요성'을 역설했을까? 이는 개인적 신념이자,
당시 세계사적 흐름에서도 자연스럽게 부각된 과제였다고
볼 수 있다. 원자폭탄으로 상징되는 제2차 세계대전에서
미국의 승리와 세계 패권국으로의 부상, 전후 일본과
독일의 부흥과 고도성장은 과학기술력의 중요성을

일깨우기에 충분했다. 박정희 자신도 군인이었기 때문에
국방력 강화를 위한 과학기술 투자도 필수라고 여겼다.
과학기술은 곧 '민족중흥'을 내세운 박정희 정부에서
중추적 자리를 차지하게 되었고, 과학기술은 국가 발전의
토대라는 확고한 믿음이 정책 전반에 반영되었다.

" 과 학 기 술 입 국 " 과
" 工 商 農 士 "

박정희의 과학관에서 중요한 것은 바로 그의 국가주의적
인식이다. 그는 과학기술을 국가 발전과 경제 성장의 핵심
도구로 간주했으며, 과학기술이 국가의 번영과 경쟁력을
높이는 데 필수적이라고 보았다. "과학기술은 국가의
번영과 발전을 위한 기초", "과학기술은 미래를 열어가는
열쇠", "과학기술은 국민 삶의 질을 향상시키는 도구"와
같은 언급은 바로 과학기술을 국가 발전의 도구로서
바라보는 그의 과학기술관을 잘 드러내는 것들이다.
          이런 그의 과학기술관을 집약한 표현이
'과학기술 입국'이다. 1976년 10월 3일, 개천절을 맞아
박정희는 '과학입국 기술자립'(科學立國 技術自立)이란 친필
휘호를 과학기술처에 보냈다. 그는 기회가 닿을 때마다
"과학기술이 곧 국력이며, 미래 국가 발전 원동력"이라고
강조했다. 박정희에게는 과학과 기술이 경제와 산업,
국방의 토대였기 때문에, 바늘과 실처럼 서로 결합

' 과 학 기 술 대 통 령 '
박 정 희 가 꿈 꾸 었 던
자 강 국 가

되어야 진정한 위력(경제와 국방)을 발휘할 수 있다고
보았다. 쿠데타를 통해 정권을 잡은 박정희에게 경제와
국방을 통해 국가의 부강을 이루는 것이 권력의 정당성을
확보하는 수단이었기에 이런 관점은 자연스러운 것이기도
했다. 물론 이로 인해 과학을 생산수단으로서 기술에
종속시키는 결과를 초래한 측면도 있다.

　　　박정희의 과학기술입국론을 제일 잘 드러내는
운동이 바로 '전 국민의 과학화'다. 이 운동의 핵심은 '1인
1기' 습득이었다. 즉 모든 국민이 자신만의 기술로 개인의
성공과 나라의 번영을 함께 꾀해야 한다는 것이다. 전 국민
과학화운동은 사농공상(士農工商)의 전근대적 국민 의식을
개혁하는 것이었다. '사'의 위세에 눌려 '중인의식'에 찌들어
있던 한국의 기술자들에게는 새로운 자각을 일깨웠고,
'상공농사'(商工農士) 혹은 '공상농사'(工商農士)가 한국의
미래라는 것을 일깨우기 위한 슬로건이기도 했다.

　　　　　　발　빠른　성장과
　　　　　　　　과도한　국가　주도
과학기술 황무지인 한국에서 정부가 강력한 과학기술
정책을 수립하고 실행해야 한다고 생각했던 박정희는
과학기술 진흥계획을 수립했다. 1960년대에 박정희
정부는 〈경제개발계획〉의 하부 계획으로〈과학기술진흥
5개년 계획〉을 수립했다. R&D 투자가 GDP의 1%도

안 되는 후진국에서 과학기술 진흥을 위한 종합계획을
국가 차원에서 수립하고 꾸준히 실천한 나라는 한국이
유일했다.

한편 한국과학기술연구원(KIST)의 설립은
박정희 정부의 과학기술 육성 의지를 보여주는 대표적인
사례로, 정부가 R&D 투자에 본격적으로 나섰음을
상징하는 것이다. 1966년 박정희는 개인재산 100만 원을
보태며 대한민국 최초 국책 연구소인 KIST의 '설립자'로
나섰다. KIST는 정부 주도로 출범한 연구개발 기관으로,
기술 수준이 취약했던 한국 산업계에 혁신적인 연구
성과를 제공하고, 과학기술 전문가를 양성하는 데 크게
기여했다. 이 시기에 형성된 정부-연구소-산업체의 협력
체계는 훗날 대규모 산업단지 조성과 국가 성장동력
창출에 직접적인 밑거름이 되었다고 볼 수 있다.

KIST 설립자로서 박정희의 열망은 바로
'기술자립'을 통한 자강국가의 건설이었다. KIST는 주로
산업 현장에서 필요로 하는 기술을 개발하고, 해당 기술을
기업에 이전하여 실용화하는 역할을 수행했다. 정부로부터
안정적인 재정 지원을 받아 비교적 큰 규모의 연구를
진행할 수 있었고, 자연스레 과학기술 인재가 모이게
되었다. 이후 대덕연구단지(현 대덕특구)의 조성과 다양한
정부 출연 연구소 설립으로 이어지면서, 국가 차원의 연구
인프라가 빠르게 갖추어졌다.

숨 23

'과학기술 대통령'
박정희가 꿈꾸었던
자강국가

과학기술 입국으로 상징되는 박정희 정부의 과학기술 정책은 우리나라 경제가 빠르게 발전하는 데 중요한 역할을 했다. 중화학공업, 전자·기계 산업이 급성장하면서 한국은 개발도상국 중에서 가파른 상승 곡선을 그리며 성장했다. 이 시기에 축적된 기술 역량과 인재 양성 체계가 1980년대 이후 반도체, 자동차, 통신, IT산업 등으로 확장되면서, 세계 시장에서 한국이 선전하는 발판이 되었다.

하지만 급격한 성장 이면에는 18년 동안 이어진 장기 독재 아래 국민의 자유와 인권이 억압되는 그늘이 있었다. 연구개발 및 기업 운영에서도 정부의 지시와 통제가 지나치게 강하게 작용했고, 과학기술 연구가 정부 주도의 대규모 사업 위주로 진행되다 보니, 기초과학이나 독창적인 연구에 대한 투자는 상대적으로 소홀했다.

빠른 성과를 내는 데 유리했지만 민간의 창의성과 자율성을 제한했던 박정희 정부의 국가 주도 과학기술 정책은 장기적으로 민간 기업과 연구소의 자발적인 노력과 독자적인 발전을 늦추는 결과로 이어졌다. 민간의 과감한 투자와 '파괴적 혁신'을 추구하는 도전성의 부족은 현재 선진국 반열에 진입한 대한민국의 과학기술과 혁신시스템에서 가장 근본적으로 변화해야 할 과제로 남아 있다.

최근 전세계적으로 '산업정책의 귀환'이 화제다. 중국은
말할 것도 없고, 특정 산업 육성을 위한 산업정책을
기피하던 미국도 인플레이션 감축법(IRA), 반도체
지원법(CHIPS) 등 다양한 형태의 규제와 산업정책을
쏟아내고 있다. 경제와 산업은 물론 기술과 안보가
동조화되는 현상 때문이다. 1960년대 후반에서 1970년대
전반에 이르는 시기에, 박정희는 '중화학공업화'를 국가
경제 발전의 핵심 전략으로 삼았다. 그 결과 제철, 조선,
전자, 기계, 화학 등 굵직한 산업 분야에 대규모 투자가
이루어졌고, 이는 한국 경제에 획기적인 변화를 가져왔다.
대표적으로 포항제철(현 포스코) 설립은 부족한 자원을
극복하기 위한 철강 산업의 초석이 되었고, 박정희는 이를
"국가 생존을 위한 필수 기술"로 강조했다.

중화학공업은 단순히 공장만 건립하는 것이
아니라, 그에 필요한 관련 기술력, 즉 소재 및 설비 기술,
자동화 공정 기술, 전문 인력 등을 종합적으로 육성해야
하는 복합적인 분야다. 정부 차원의 과감한 정책적 결단과
재정 지원을 통해 대규모 프로젝트가 추진되었다. 이를
통해 한국은 값싼 노동력에만 의존하던 빈곤국에서
점차 기술집약적 산업구조로 전환하게 되었다. 이러한
산업구조와 정부의 강력한 리더십을 기반으로 하는 혁신

'과 학 기 술   대 통 령'
박 정 희 가   꿈 꾸 었 던
자 강 국 가

시스템은 박정희 정부 이후 거의 반세기가 지난 현재에도
한국의 기축 시스템으로 작동하고 있다.

고 급   과 학 기 술
인 재   양 성 과   현 장
산 업 인 력 의   조 화

박정희 대통령은 과학기술 분야 인재 양성에 중요성을
두었다. 교육과 연구기관 설립을 통해 과학기술
인재를 길러내고, 이들이 국가 발전에 기여할 수
있도록 했다. 당시 탄생한 의미 있는 기관 중 하나가
한국과학기술원(KAIST)이다. 미국의 선진 공과대학
모델을 본떠 설립된 KAIST는 석·박사급 연구 인력 양성에
주력했고, 정부로부터 전폭적인 지원을 받았다. 이는 곧
대덕연구단지에 연구 인력을 수혈하는 체제가 되었고,
기업 연구소에도 우수한 인재가 공급되어 한국 산업의
고도성장을 뒷받침했다. 또한 KAIST는 교육에만 머물고
있던 서울대를 비롯한 기존의 대학들이 연구 중심대학으로
거듭나도록 자극함으로써 우리나라 전반의 과학기술
수준을 한 단계 끌어올리는 데 크게 기여했다.

하지만 우리나라의 산업화가 성공한 더
결정적인 이유는 수많은 현장 기술자, 기능인들이
존재했기 때문이었다. 예를 들어 국립부산기계공고
등 기능인력 양성과 국립대학 특성화 등을 통한 산업

현장 엔지니어 대거 양성이 박정희 정부 산업 발전
전략 성공의 큰 밑거름이었다. 달리 말하면 소수의
우수한 과학기술자나 경영인, 정부의 테크노크라트들이
앞선 기술을 개발하고 산업 발전을 위한 정책 방향을
제시했더라도 이를 수행할 훌륭한 수행자들이 없었다면
우리나라의 산업혁신은 결코 성공하지 못했을 것이다.
낮은 문맹률, 높은 과학 리터러시와 교육열, 강력한
보편교육 제공 등을 통해 일반 국민의 '수준'이 다른
개도국에 비해 월등히 높았던 대한민국이었기에 가능한
일이었다.

과 학 기 술 강 국 에 서
책 임 있 는
혁 신 국 가 로

박정희 대통령의 대한민국 과학기술 발전에 대한 분명한
비전과 강력한 추진력은 오늘날 국내 연구개발 생태계와
산업 전반의 경쟁력 형성에 지대한 영향을 끼쳤다. 반면
현재에도 남아 있는 빠른 추격자로서 성공한 경험과
시스템은, 경제와 사회의 지속가능한 변화를 추구하는
책임 있는 '혁신의 개척자'(first mover)로 나서려는
대한민국의 과학기술 시스템 혁신의 발목을 잡는
유산이기도 하다. 긴 역사적 맥락에서 보았을 때, 우리는
그에 대해 "낙후된 농업국가에서 첨단 기술 국가로

'과 학 기 술 대 통 령 '
박 정 희 가 꿈 꾸 었 던
자 강 국 가

도약하기 위한 초석을 마련했다"라고 평가할 수 있다.
이제 그의 한계를 뛰어넘는 것은 오롯이 우리가 풀어야 할
숙제다.

— KAIST 40년사 편찬위원회,
 『KAIST 40년사』, KAIST, 2011.
— 김인수, 『모방에서 혁신으로
 From Imitation to Innovation』,
 시그마인사이트, 2000.
— 김종우, 『한국 경제개발계획사』,
 나남, 2015.
— 김태호 편, 『'과학대통령 박정희'
 신화를 넘어』, 역사비평사, 2018.
— 대덕연구개발특구지원본부,
 『대덕특구 40년사』, 2013.
— 문만용·이용수, "박정희 시대
 담화문을 통해 본 과학기술정책의
 전개 논문", 『한국과학사학회지』,
 2012.
— 신향숙, "제5공화국의 과학 기술
 정책과 박정희 시대 유산의 변용",
 『한국과학사학회지』, 2015.
— 양동안, 『박정희 리더십 연구』,
 신원문화사, 2005.
— 유영익 편, 『박정희 시대의 재조명』,
 서울대출판부, 2002.
— 이영훈, 『대한민국 발전의 역사』,
 기파랑, 2019.

— 이현덕, "박 대통령의 대덕연구단지
 마지막 시찰", 《전자신문》, 2022.
 12. 29.
— 이현덕, "한국 과학기술 산실
 'KIST'…통합 8년 5개월 만에 독립
 새출발", 《전자신문》, 2024. 11. 20.
— 이현덕, "횃불 올린 전국민
 과학화운동", 《전자신문》, 2022.
 08. 11.
— 정한균, 「박정희 정권의 기술 도입과
 경제개발」, 『한국사연구』 제175호,
 한국사연구회, 2016.
— 최영락, 김영우, 하헌표, 송위진,
 오동훈, 『한국과학기술정책 50년사』,
 과학기술정책연구원, 1995.
— 한국과학기술연구원(KIST) 50년사
 편찬위원회, 『KIST 50년사』,
 KIST, 2016.
— 황선명, "중화학공업화와 한국
 산업구조 고도화", 『산업경제연구』
 제31호, 2018.

두산
인문극장
2025

두산아트센터

4.7 – 7.12

지역
LOCAL

제작 두산아트센터
기획 두산아트센터, 이음

예매문의
두산아트센터
02-708-5001
doosanartcenter.com
webmaster@doosanartcenter.com

강연	1만 년의 고독: 인류의 이동과 지역의 탄생	윤신영	4.7
	조선 후기 국토의 발견과 살 곳의 모색	안대회	4.14
	지역과 우리, 나의 영토성: 이주와 정체성	신혜란	4.21
	저출산, 설명할 수 없는 명백한 현상	임동근	4.28
	로컬푸드와 장소 정체성	박찬일	6.9
	지역 청년이 겪는 수도권 바깥에서 먹고 살기	양승훈	6.16
	서울 공화국이냐 균형발전이냐	이정우	6.23
	'지방소멸'의 시간들	조문영	6.30
공연	생추어리 시티 Sanctuary City		4.22 - 5.10
	엔들링스 Endlings		5.20 - 6.7
	광장시장		6.17 - 7.5
전시	Ringing Saga		6.4 - 7.12

두산은 젊은 예술가들의 새로운 시도를 응원하고 지원합니다

마 오 의
과 학 관 과
그 영 향

이종식 포항공과대학교
인문사회학부 교수. 20세기 중국과
베트남을 중심으로 과학사, 의학사,
동물사, 농업사를 연구하고 있다.
현재 영문 연구서 『인민을 넘어서는
인민공사: 마오 시대 중국의 수의
노동자와 비인간 동물들(More-Than
People's Communes: Veterinary
Workers and Nonhuman Animals
in Mao-Era China)』을 집필 중이다.
『벌거벗은 동물사: 동물을 사랑하고
혐오하는 현대인의 탄생』을 썼고,
『사회정의와 건강』, 『리센코의
망령』, 『탄소 기술관료주의』, 『붉은
녹색혁명』 등을 우리말로 옮겼다.

혁 명 가 와   과 학

마오쩌둥(毛澤東, 1893~1976)은 혁명가였다. 혁명가는
무릇 기존의 어떤 것을 모종의 이유로 파괴하고 새로운
것을 창조하려 한다. 그렇다면 마오가 한창 중국혁명을
이끌던 20세기 중엽에는, 대륙의 정치·경제·사회의
영역에서뿐만 아니라 과학에 대해서도 혁명이
필요했을까? 다시 말해, 바람직한 과학이란 무엇인지
재정의하고 과학을 둘러싼 사회적 규범과 제도를 일신할
필요가 있었을까? 마오의 대답은 '그렇다'였다.

　　　　혁명 이전의 중국 과학은 오늘날 우리에게
너무도 친숙한, 어쩌면 한 나라의 '정상적인' 과학이라면
으레 그래야만 한다고 간주될 법한 모습의 과학이었다.
20세기 중국인들이 보기에 천조(天朝)의 강성함을 앞세워
'갑'의 위치에서 예수회 선교사들의 과학 지식을 입맛대로
수용하던 17~18세기 명청 시대의 전성기는 이미 너무도
먼 과거였다. 그들에게 과학이란 아편전쟁 이래 '을'의
위치에서 중화의 절멸을 두려워하며 무슨 수를 써서라도
빠르게 배워야만 했던 서구 근대 과학기술이었다.
따라서 인구의 극소수에 불과한 엘리트 과학기술인에게
민족구망(民族救亡)의 역사적 책무가, 동시에 막대한
특권이 주어졌다. 과학의 권위와 권능은 전문가들의
전유물이라는 생각이 당연시되었다. 대다수의 보통
사람들은 과학의 수동적 수용자요 피계몽자이지, 과학의

32

능동적 주체는 당연히 될 수 없다고 여겼다.

흔한 오해와 달리, 마오는 과학 자체를 부정하지
않았다. 다만 '다른' 과학을 원했다. 청나라 말기와 중화민국
시대(1912~1949)를 거치며 형성된 근대 중국 과학의 저
'당연함' 중 일부를, 혁명가가 아닌 사람들에게는 그리
문제적이라고 비치지 않았을 저 '자연스러움'의 일단을
바꾸고 싶어 했던 것이다. 요컨대 마오의 과학관을
이해하는 데에는 무엇보다 그가 집정자이기에 앞서
혁명가였다는 사실을 염두에 두는 것이 무척 중요하다.

군 중 과 학

'갑'과 '을'이라는 표현이 시사하듯, 마오의 사고방식은
일련의 이분법에 토대를 둔 것이었다. 구체적으로 서양
대 중국, 서양적이고 근대적인 것(洋) 대 중국 특유의
토착적이고 전통적인 것(土), 엘리트 과학기술인 대 일반
대중, 전문가가 주도하는 하향식(top-down) 문제 해결
방식 대 보통 사람들의 참여에 뿌리를 둔 상향식(bottom-
up) 접근법, 대학과 연구소로 대표되는 상아탑의 공간 대
논밭과 공장이 상징하는 생산 현장, 정신노동 대 육체노동
등을 거론할 수 있다. 혁명 이전의 중국 사회(이른바
'구(舊)사회')를 포함하여 더 일반적인 시공간에서는 대개
전자가 후자보다 우월한 것으로 여겨진다. 혁명가로서
마오는 이 위계를 전복하겠다는 목표를 세웠다. 전자보다

숨 33　　　　마 오 의　과 학 관 과
　　　　　　　그　영 향

후자를 더 귀한 것으로 천명할 때, 마오는 중국 인구의 절대다수를 이루는 가장 보통의 존재들, 즉 중국어로 '군중(群衆)'에게 더 친화적인 모습으로 과학이 변모할 수 있다고 믿었다. 따라서 이러한 마오의 과학관 혹은 과학철학을 과학사학자들은 '군중과학'(mass science)이라 명명한다.

군중과학의 패러다임에 따라 바람직하다고 새로이 정의된 중국 과학의 모습은 다음과 같다. 그것은 서양의 근대적 지식이 중국 고유의 오래된 지식보다 무조건 더 낫다고 가정하지 않는 과학이다. 예컨대 이러한 태도는 마오 시대 이래 중국에서 현대의학과 중의학(中醫學) 간의 더 수평적인 공존을 가능케 했다. 또한 그것은 엘리트 과학기술인만이 과학적 합리성을 독점한 사회 집단이라고 전제하지 않는 과학이다. 이에 마오 시기 중국은 기술관료주의(technocracy), 즉 과학기술 고위 관료의 하향식 거버넌스에 의존하는 과학기술정책 대신 군중의 참여를 대폭 수용하는 과학 교육 및 연구개발 제도를 진작시킬 수 있었다. "고귀한 자가 가장 우둔하고 비천한 자가 가장 총명하다"라는 마오의 유명한 구호 아래 수많은 비(非)엘리트 인민들이 다종다양한 과학기술 훈련을 받아 자신의 고향에서 나름의 전문가로 거듭날 수 있었고, 일부는 전문 과학 기관에 취업하거나 학술지에 논문을 게재하기도 했다.

34

물론 이 과정이 기성 전문 과학기술인들에게
우호적인 것은 결코 아니었으며, 주지하다시피
수많은 과학자와 엔지니어들이 '부르주아 지식인',
'우파', '반혁명분자', '주자파(走資派)' 등의 오명을 쓰고
숙청되었다. 그러나 군중과학의 규범에 원활하게
적응했던 엘리트 과학자들 또한 다수 존재했다는 점을
애써 망각해서도 안 되겠다. 중국공산당 집권 이전 미국과
유럽에서 훈련받은 여러 분야의 과학기술 엘리트들은
"인민을 위해 복무하라"는 시대정신에 발맞춰 순수
기초과학 대신 농공업 생산에 직접적으로 기여할 수 있는
응용 지식 생산에 헌신하며 현장의 군중들과 함께 땀
흘리고 호흡했다. 나아가 일부 엘리트 과학기술인들은
농민과 노동자를 대할 때, 일방적인 시혜와 수혜의 관계를
맺는 것이 정치적으로 안전한 그림이 아니라는 것을
직감적으로 깨닫고 기꺼이 "군중으로부터 배우자"고
목소리 높였으며, 뛰어난 경험과 기술을 갖춘 인민을
국가 연구기관의 연구원으로, 대학 교수로 추천·초빙하는
파격을 몸소 보여주기도 했다. 사회주의 중국에서
군중과학은 그저 공상으로 머물지 않고, 당 간부, 과학자,
인민 등 다양한 행위자에 의해 여러 방식으로 해석되고
실천되고 실현되었던 것이다.

마 오 의   과 학 관 과
그   영 향

이 상 과 현 실 ,
가 능 성 과 한 계

마오의 군중과학은 다수의 보통 사람들을 위한 과학을
추구했다. 그것은 근대세계의 보편적인 '갑'과 '을'의
관계를 뒤집어 보려는 혁명적 시도이기도 했다. 아마도
마오는 언젠가 이러한 군중과학이 충분히 성숙한다면
겸손한 전문가와 입지전적이고 창의적인 군중이 상호
학습하고 고양하는 모습을 보게 되리라 기대했을 것이다.
그러나 중국혁명이라는 조건 속에서 실험적으로 시도된
군중과학이라는 이상은 무수히 많은 현실의 문제와
부딪혔으며, 그 고아한 가능성만큼이나 해소되지 못한
한계를 노정했다.

　　　마오가 위아래를 뒤엎으려 했던 이분법으로
다시 돌아가 보자. 서양 대 중국, 양(洋) 대 토(土), 과학기술
전문가 대 군중, 하향식 대 상향식 태도, 상아탑 대 생산
현장, 정신노동 대 육체노동 가운데 전자를 극단적으로
지향한다면 일종의 과학기술만능주의, 전문가주의,
과학기술 과두정에 다다를 수 있다. 마오의 문제의식은
이러한 방향으로의 힘의 관성을 후자 쪽으로 역전시켜
과학을 프롤레타리아화, 혹은 더 넓게 말하자면
민주화해야 한다는 것이었다. 그런데 이를 급진적으로
추진할 경우, 마찬가지로 바람직하지 않은 지경에
도달하게 될 소지가 있다. 바로 반지성주의라는 함정이다.

36

이렇게 과학기술 전문가주의를 한 축으로, 반지성주의를 다른 한 축으로 삼는 스펙트럼 위에서 과학 민주화를 추구할 때, 그러한 노력이 반지성주의로 함몰되지 않도록 하는 제동장치가 필요하다. 그런데 마오의 중국과 군중과학은 이 장치를 계발하는 데 실패했다. 이분법의 역전과 그 위계의 전복을 멈춰야 하는 지점을 굳이 상상하려 하지 않았다.

비전문가인 군중이 과학을 상당 수준으로 연마한다면 언젠가 과학 전문가와 전문지식을 완벽하게 대체할 수 있을까? 예를 들어, 한 사회에서 핵물리학 전문가가 맡아 온 역할을 농민 출신 과학 학습자가 온전히 대신하는 것이 가능한가? 군중과학의 이상은 '그렇다'라고 답했지만, 현실은 마냥 그렇지만은 않았던 것 같다. 먹고사는 것과 상관없는 기초과학은 전혀 가치가 없을까? 군중과학의 답은 '그렇다'이지만 20세기 중국인들도 지금 우리처럼 '경제'나 '산업'이나 '쓸모' 같은 명분에 과학이 속박되는 것에 경각심을 갖고 있었다. 이러한 군중과학의 이상과 현실의 틈에서 때로는 혁명적이지 않은 방식의 과학을 지속적으로 수행했던 천쉐썬(錢學森, 1911~2009) 같은 엘리트 과학자가 성공할 수 있었다. 반면, 때로는 복잡하고 혼란스러운 현실을 감당하기 위해 동원된 제어되지 않은 폭력이 여러 과학기술인들의 경력과 생명을 희생시켰다. 군중과학의 수혜자인 군중 가운데에서조차

숨 37　　마 오 의　과 학 관 과
　　　　　그　영 향

혁명의 적자(嫡子)로서 또 다른 형태의 특권을 독점적으로
주장하는 인물들이 나타나거나 반대로 자신의 실력에
스스로도 의구심을 갖는 불안한 아마추어들이
양산되기도 했다.

　　　　1976년 마오가 사망하고 1978년 '개혁개방'의
기수 덩샤오핑(鄧小平, 1904~1997)이 집권했다.
중국공산당은 군중과학을 포기하고, 혁명 이전의 이분법의
위아래를 전면적으로 회복했다. 포스트 마오 시기의
중국 과학은 미국 과학, 유럽 과학, 한국 과학과 크게
다르지 않은 모습으로 돌아왔다. 중국에서의 과학 혁명은
그렇게 종식되었고, 혁명 이후의 중국 사회에서 마오의
군중과학은 논쟁적이고 불편한 유산이 되었다.

　　　　오늘날의 한국인들에게 군중과학은 어떻게
독해될 수 있을까? 그 유명한 소련의 '유사과학자' 트로핌
리센코(Trofim Lysenko, 1898~1976)의 악명과 더불어
정치 이데올로기가 과학을 범한 또 하나의 비극으로
군중과학을 비난하고 조롱해 마지않는 독법도 물론 가능할
것이다. 혹은 마오의 군중과학이라는 일종의 지적·사회적
위계 흔들기 실험을 한국 과학사가 겪어보지 못한 경로로
인정하고 그 이상과 현실, 가능성과 한계, 명과 암을
비판적으로 반추하면서, 한국 과학에 필요한 변화와
더 나은 방식의 과학 민주화를 상상하기 위한 하나의
반면교사로 읽어낼 수도 있을 것이다.

38

— 이종식, "20세기 중국 과학사·
　기술사·의학사 독법(讀法):
　자기 부정과 자기 재생산을 양극으로
　하는 하나의 스펙트럼 안에서,"
　『아세아연구』 64(2), 2021.
— 시그리드 슈말저 지음, 이종식·
　문지호 옮김,『붉은 녹색혁명: 마오
　시대 중국의 농업개혁과 군중과학』,
　푸른역사, 2025 (근간).
— Sigrid Schmalzer, "The Global
　Comrades of Mr. Democracy and
　Mr. Science: Placing May Fourth in
　a Transnational History of Science
　Activism," *East Asian Science,
　Technology and Society: An
　International Journal*, 16(3) (2022):
　305-326.
— 채준형, "錢學森(1911-2009)의
　과학기술론과 사회발전론,"『사총』
　95, 2018.
— 로렌 그레이엄 지음, 이종식 옮김,
　『리센코의 망령: 소비에트 유전학의
　굴곡진 역사』, 동아시아, 2021.

숨 39　　마 오 의　과 학 관 과
　　　　　그　영 향

대처리즘과 과학기술: 연구 민영화와 기업가적 과학자

이은경 전북대학교 과학학과 교수. 서울대학교에서 물리학과
과학기술학을 공부했다. 과학기술정책연구원 부연구위원을
지냈으며 과학기술정책, 과학기술과 젠더, 과학기술문화의 여러
주제를 연구하고 있다. 저서로 『한국의 과학기술과 시민사회』,
공저에 『과학기술과 사회』, 『근대 엔지니어의 탄생』, 『근대
엔지니어의 성장』, 『사회·기술시스템 전환』 등이 있다.

기초과학은 우리에게 라디오와 텔레비전, 플라스틱, 컴퓨터, 페니실린, X-선, 트랜지스터와 마이크로칩, 레이저, 원자력, 신체-스캐너, 유전자 코드… 등을 주었다. 모든 현대 기술은 세계가 어떻게 작동하는지, 세계가 무엇으로 만들어졌고, 어떤 힘이 세계를 움직이는지 이해하려는 과학자의 발견에 기초를 둔다. 기초과학은 생명의 비밀을 풀고, 질병을 이기는 지식을 얻고, 새로운 물질을 발명하고, 지구와 환경을 이해하고, 물질의 특성을 깊이 들여다보면서 우주에 대한 이해에 도달하고 있다.

오늘의 기초연구는 세계와 그 속에 있는 우리의 위치에 대한 개념을 확장하고 내일의 기술, 즉 미래 번영과 고용의 기초 초석을 놓는다.

그러나 영국 과학은 위기에 빠졌다. 기회가 사라졌고, 과학자들은 외국으로 나가고 모든 영역의 연구가 재난 상태다. 정부의 연구 지원이 쇠퇴하고 있고 과학투자를 늘리고 있는 유럽의 주요 경쟁국에 비해 훨씬 뒤처지고 있다.

변명의 여지가 없다. 북해 석유에서 나오는 정부 연간 세입금의 1% 정도만 지출을 증가해도 영국 과학을 구할 수 있다. 우리는 영국의 미래를 위해 기초연구에 투자할 수 있고,

투자해야 한다. (《더 타임》, 1986. 1. 13)

1986년 1월 13일 영국 신문 《더 타임》의 광고면에 실린
캠페인이다. "영국 과학을 구하라"는 제목을 지면의 절반
크기로 배치한 이 광고는 "당신 지역구 의원에게 영국 과학
구하기에 힘을 보태라고 요구하라, 너무 늦기 전에"라는
말로 마무리되었다. 영국의 노벨 과학상 수상자들과 100명
이상의 왕립학회(the Royal Society) 회원들, 그리고
1,500명이 넘는 과학자들이 참여했던 이 지면광고는
마거릿 대처 정부의 연구비 예산 삭감과 그에 따른
위험을 대중에 호소하기 위한 것이었다. 취지에 공감했던
과학자들은 이후에도 캠페인, 정부 접촉 등을 계속하기
위해 광고 제목과 같은 이름의 과학자 조직, '영국 과학을
구하라'(Save British Science, SBS)를 만들었다. 이
조직은 2005년에 '과학과 공학을 위한 캠페인'(Campaigns
for Science and Engineering, CaSE)으로 이름을 바꾸고
지금까지 활동 중이다. 왕립생명과학회, 옥스퍼드 대학과
케임브리지 대학, 아스트라제네카 같은 학회, 과학단체,
대학, 기업 등 기관/조직과 개인들이 회원으로 참여한다.
한국의 과학기술단체총연합회와 어느 정도 유사한 단체다.
　　　　　　　　　　대처는 평가가 극명하게 엇갈리는 정치인이다.
그녀는 1975년 첫 보수당 대표가 되었고 1979년부터
1990년까지 11년 동안 영국 총리로서 정부를 이끌었다.

숨 43

대처리즘과　과학기술:
연구　민영화와
기업가적　과학자

한편에서는 광범위한 공공부문 민영화, 노조와 강력하게 대립한 결과, 노동시장 유연화, 공공부문 지출 억제를 통한 재정 건전성 회복 등을 들어 이른바 '영국병'을 치유했다고 긍정적으로 평가한다. '철의 여인'이란 별명답게 수많은 저항, 비판 등에도 불구하고 이 과정을 밀어붙였다. 다른 편에서는 '1%를 위한 철의 여인'이라 부르면서 사회 안전망 축소, 민영화와 경제구조 조정의 결과 지역 간, 계층 간 불평등 심화와 여전히 높은 실업률 등을 이유로 부정적으로 평가한다. 영화와 뮤지컬로 유명한 〈빌리 엘리어트〉에 대처 시기 석탄산업 구조조정이 어떠했는지 잘 묘사되었다. 그러므로 2013년 대처가 사망했을 때도 반응은 엇갈렸다. 세계적인 정치지도자의 죽음에 대한 애도가 영국 안팎에서 이어졌지만, 그녀를 부정적으로 평가하는 사람들은 국장(國葬) 반대 캠페인을 벌였다. 영화감독 켄 로치가 "그녀의 장례식을 민영화하자. 경쟁 입찰에 부쳐 최저가에 낙찰시키자. 이것이야말로 그녀가 원했던 방식"이라고 할 정도였다.

경제, 사회 정책에 비해 대처 정부의 과학정책은 잘 알려지지 않았다. 대처는 대학교에서 화학을 전공한, 최초의 과학 전공 총리였지만 졸업 후 화학 관련 경력은 짧았고 화학자로서 정체성은 강하지 않았다. 대처 정부 과학기술정책의 핵심은 공공부문 민영화와 부합하는 시장 중심 연구개발이었다.

대처의 과학기술정책을 이해하기 위해 1980년대까지 영국의 과학기술 연구개발 체제에 대해 잠깐 알아보자. 1918년의 할데인 원칙에 따라, 과학연구의 재정 지원 책임이 있는 정부는 연구를 위한 예산 규모를 결정하고, 예산을 어떻게 사용할지는 연구회(Research Council)가 독자적으로 결정한다. 1920년에 의학연구회, 1931년에 농학연구회가 설립되었다. 제2차 세계 대전 이후에는 과학연구에 대한 지원이 증가했다. 1965년에 〈과학기술법〉이 제정되었고 교육과학부(Department of Education and Science)가 설치되었으며, 그리고 자연과학과 공학을 포괄하는 과학연구회, 천연자연연구회(나중에 '자연환경연구회'로 바뀜)가 추가로 설립되었다. 연구회의 법적 지위는 비정부 부처형 공공조직이다. 영국의 과학연구 예산은 대부분 연구보조금(Grant-in-Aid) 형태의 연구회 예산이다. 연구회는 대학 및 산하 연구기관 연구자를 지원하는데, 어느 분야의 어떤 연구에 얼마를 지원할지 부처 개입 없이 독자적으로 결정한다. 연구보조금 외에 정부 부처와 민간 기업의 연구비를 추가로 수주할 수도 있다. 정부의 각 부처는 부처 업무에 필요한 연구를 연구회에 발주할 수 있으며, 이 예산은 연구회에 대한 연구보조금과 구분된다.

대처 정부의 과학정책은 연구의 민영화와 과학연구의 상업화로 요약될 수 있다. 1970년대부터

대처리즘과 과학기술:
연구 민영화와
기업가적 과학자

영국 산업의 쇠퇴 요인 중 하나로 과학과 산업의 연계 협력 부진이 지적되었는데, 이 문제를 해결하기 위해 대처가 처음 칼을 빼들었다. 미국, 독일과 달리 영국의 산업계가 연구개발 투자의 위험을 피하려고 공적 지원에 기대고 있다고 분석하고 산업계를 위한 응용연구 및 상업 생산 단계에 이른 연구(near-market research) 예산을 큰 폭으로 삭감했다. 그런데 정부의 기대와 달리 산업계는 그만큼 신속하게 정부 지원이 끊긴 분야의 연구에 투자하지 못했다. 그 결과 현장의 과학자들에게는 연구비가 끊기고 대학에서는 연구인프라 확보에 어려움을 겪는 일이 벌어졌다. 또한 대처 정부는 대학의 연구가 산업의 성장으로 이어져야 하고 기업가적 과학자의 역할이 중요하다고 강조했다. 이로 인해 특히 기초연구 과학자들이 압박을 받았다.

통계에 따르면 1981년부터 1986까지 5년 동안 연구개발 예산은 영국에서 4% 증가에 그친 반면, 미국과 일본에서는 각각 65%, 101% 증가했고, 독일과 프랑스에서도 약 40% 이상 증가했다. 그 결과 1986년이 되면 영국의 연구개발 예산은 미국 연구개발 예산의 약 1/10, 독일의 연구개발 예산의 약 1/2 수준으로 떨어졌다. 1984년에 왕립학회 회장은 이런 연구 환경을 "경고음이 켜진 상태"라고 말했고, 같은 해 의학연구회는 예산이 25%나 삭감되어 큰일이라고 보고했다. 과학자들은 두뇌 유출을 걱정하기 시작했다. 이제 우리는 1986년에 수많은 영국 과학자들이 '영국 과학을 구하라' 캠페인에 참여한 배경을 알 수 있다. 기초연구 지원의 필요성을 아무도 의심하지 않았던 1960년대를 지나 연구개발에 투자한 만큼 산업 발전에 효과를 내지 못한다는 문제가 제기되기 시작한 1970년대에도 실질적인 연구비 삭감은 거의 없었다. 그러므로 대처 정부의 연구 예산 삭감은 과학자들에게 큰 충격이었다.

1987년 대처 정부는 약간의 입장 전환을 보였다. 과학연구에서 '호기심 기반 연구'(curiosity-driven research)의 중요성을 강조하면서 이에 대한 지원을 늘렸다. 뿐만 아니라 1988년에 대처는 왕립학회에서 패러데이를 언급하면서 호기심에 기반한 기초연구가 장기적으로는 엄청난 산업 영향력으로 돌아온다고 연설했다. 대처가 직접 이 변화의 배경을 설명하지는 않았지만 1986년의 '영국 과학을 구하라' 캠페인처럼 대학에서 기초연구의 기반이 무너지고 있다는 위기의식이 일부 작용한 것으로 보인다. 1980년대 후반에 영국의 연구개발 예산은 느린 속도지만 증가 추세로 바뀌었다.

영국 과학정책에서 효율적인 과학기술 투자와 연구 민영화, 기업가적 과학자 등 대처의 영향은 대처 사임 이후에도 유지되었다. 후임 존 메이저 총리는 효율적인 과학기술 투자를 위해 제도를 개선하고 전략적인

대처리즘과 과학기술:
연구 민영화와
기업가적 과학자

과학기술정책을 도입했다. 과학기술청(Office of Science and Technology)이 내각에 설치되었고 연구회들이 그 산하기관이 되었다. 과학기술청은 과학기술 예산 배분, 연구회와 왕립학회 등 주요 과학조직 지원, 과학기술 백서 발행, 우선 연구 분야 선정 등 과학기술 활동을 총괄하고 종합 조정하는 주무 기관이 되었다. 이처럼 제도는 체계화되었으나 대학 연구에서 기업가 정신 강조, 산업 연구 지원 통제 등의 정책 기조는 유지되었다. 2013년 데니스 노블(Denis Noble)은 《네이처》 기고문에서, 대처는 갔지만 과학자들은 여전히 과학연구 지원을 위해 조직적으로 노력하고 있다고 했다. 또한 대처가 호기심 기반 연구를 강조했음에도 불구하고 2010년대에도 여전히 과학연구에서 경제효과와 지적 호기심의 균형을 추구하지 못하고 경제효과가 압도하고 있다고 지적했다.

대학의 자본화, 연구의 상업화가 현재의 글로벌 추세인 점을 생각하면 현재 영국의 과학연구가 처한 상황이 모두 대처리즘 때문은 아닐 것이다. 그러나 적어도 대처 재임기에 급격하게 일방적으로 정책 전환이 이루어진 것, 그에 따른 후유증이 있는 것은 분명해 보인다.

— 김기국, 1999. 『영국의 과학기술체제와
  정책』, 과학기술정책연구원.
— 김영세, 2007. "영국 대처 정부의
  경제정책과 함의"『유럽연구』
  제25권 3호, 213-235.
— 박경선 편역, 1996. 『1995년도
  영국의 과학기술정책동향』,
  과학기술정책연구원.
— 황용수, 이찬구, 2002. 『영국연구회의
  현황 및 향후 발전 방향』,
  과학기술정책연구원.
— Jon Agar, *Science Policy under
  Thatcher*, UCL Press, 2019.
— Noble, D. "We are still saving
  British science from Margaret
  Thatcher". *Nature* (2013). https://doi.
  org/10.1038/nature.2013.12800

대 처 리 즘 과 과 학 기 술 :
연 구 민 영 화 와
기 업 가 적 과 학 자

김정일의
과학관: 생존
도구이자
번영 수단,
과학기술

강호제 베를린자유대 한국학과(Freie Universität Berlin,
Institute of Korean Studies)에서 북한학과 관련한 수업을
담당하고 있다. 물리학을 전공한 후(BA), 역사학으로 전공을
바꾸고 북한 과학기술 정책사(MA, PhD)로 학위논문을 썼다.
역사적 관점에 충실하면서도 최근의 동향을 면밀히 파악하는
북한 연구를 지향하고 있다. 최근에는 교육, 전문연구 그리고
생산현장을 통합하여 북한의 '국가혁신체제'를 파악하기 위해
노력하고 있다. 나아가 '지역혁신체제(Regional Innovation
System)'가 갖추어지는 과정을 추적하고 있다.

2024년 11월 21일, 우크라이나 드니프로의 군 시설에 극초음속(Hypersonic) 미사일이 처음으로 실전 사용되었다. 그 속도가 아주 빨라 처음에는 대륙간탄도미사일(ICBM)로 추정되었지만, 다음 날 푸틴 대통령은 직접 방송을 통해 이 미사일이 중거리 극초음속 미사일 '오레시니크(Oreshnik)'라고 밝혔다. 보통 마하 5(음속 5배, 1700m/s)이상을 극초음속이라고 부르는데, 푸틴은 이 미사일의 속도를 마하 10이라고 하면서 이를 막을 수 있는 미사일 방어체계는 아직 개발되지 못하였다고 주장했다.

극초음속 미사일을 막기 어려운 이유는 그 빠른 비행속도뿐만 아니라, 최종 탄두부가 공기 중에서 활강을 하는 등 변칙 비행을 하기 때문이다. 그만큼 개발하기 어려워 대륙간탄도미사일(ICBM)과 잠수함발사탄도미사일(SLBM) 기술을 개발하고 보유한 나라가 10개국 미만 수준인데, 극초음속 미사일을 개발하고 보유한 나라는 그보다 작다. 그마저도 대부분 최근에 개발되었다. 러시아와 중국이 이 분야의 선두주자이다. 미국이 그 뒤를 따르고 있다고는 하지만 아직 완전치 않다는 의견이 많다. 믿기 어렵겠지만, 북한은 2021년 9월부터 지금까지 6번의 극초음속 미사일 시험발사를 성공적으로 진행했다고 주장하면서 화성-8형, 화성포-16나형 2개의 모델을 공개했다. 전 세계 3~4위

수준인 셈이다. 2025년 1월에 시험 발사된 중장거리 초음속미사일 화성포-16나형의 속도는 오레니시크보다 빠른 마하 12라고 한다.

북한의 과학기술을 논할 때 극초음속 미사일을 주목해야 하는 이유는 미사일에 포함된 기술들 때문이다. 강하면서도 가볍고 고온에서 견디는 금속/재료 기술, 각종 전자부품들을 제작, 운영할 수 있는 전자/제어 기술, 자세 제어/항법/목표 탐지 및 추적 등에 활용되는 AI 기반의 알고리즘과 레이더/전자/광학 센서 기술, 특히 초고속으로 흐르는 공기를 활용하여 높은 추력을 만들어 낼 수 있는 특수 엔진 기술 등 어느 하나 최첨단 영역에 속하지 않는 것이 없다. 게다가 이런 전략 무기에 활용되는 기술은 다른 나라에서 이전해 줄 가능성이 거의 없기 때문에 스스로 개발, 확보해야 한다. 따라서 북한이 극초음속 미사일을 개발하는 데 성공하였다면 최소한 관련 분야의 기술 수준은 세계 3~4위 수준에 들었다고 볼 수 있는 것이다. 그것도 자력으로. 이를 무기 제작이 아니라 일상생활에 필요한 제품 생산에 활용할 수만 있다면 그들의 경제발전 속도는 이전과 달라질 것이라 추정할 수 있다.

북한이 첨단 수준의 미사일들을 공개적으로 시험하며 발전시키기 시작한 것은 김정은 체제가 들어선 이후, 대략 2015년 즈음부터였다. 북한 언론을 통해 시험 발사된 여러 형태의 미사일들에 대한 구체적인 정보가

숨 53

김 정 일 의 과 학 관 :
생 존 도 구 이 자
변 영 수 단 , 과 학 기 술

사진과 함께 공개되었다. 그중 잠수함에서 발사하는
SLBM인 북극성 계열의 미사일은 2015년 5월에 처음
공개되었다. 2017년 11월 29일 다탄두 핵무장 ICBM인
화성-15형 시험발사에 성공한 북한은 핵무력 완성을
선언했다.

　　　　여기서 주목할 점은 시험발사 과정에서
실패하는 경우가 많지 않았다는 점이다. 복잡도가 높고
기술수준이 높은 첨단 제품의 경우, 예측하지 못한 경우의
수가 많기 때문에 실패 확률이 상당히 높다. 달리 보면,
실패 사례에 대한 정보를 제대로 수집해야 첨단을 돌파할
수 있다. 하지만 이 시기 북한의 미사일 시험발사들은
성공 확률이 매우 높았다. 당시 시험들이 어느 정도 숙성
상태에 들어간 기술들을 점검한 것이었다고 해석할 수
있다. 즉 김정은 체제에서 이루어진 미사일 시험발사는
김정일 체제부터 상당히 발전, 준비된 것들을 대상으로 한
것이었다고 볼 수 있다.

　　　　　　　　　　김 정 일 이　 구 상 한
　　　　　　　　　　경 제 발 전　 전 략 ,
　　　　　　　　　　C N C 화
김정일 체제의 미사일 기술은 미사일보다 인공위성
발사체를 통해 이루어졌다고 볼 수 있다. ICBM과 인공위성
발사체 모두 지상에서 인공위성 혹은 탄두를 대기권

54

밖으로 실어 나른다는 것까지는 같기 때문이다. 북한의 첫 인공위성 시험발사는 1998년 8월에 이루어졌고, 2009년 4월에도 인공위성 발사체 성능까지는 성공적이었다.

인공위성 발사체나 미사일을 만들 때 가장 중요한 기술 중 하나가 CNC기술(Computerized Numerical Control, 자동숫자조종장치)이다. 이는 기계제작 기술과 IT가 결합된 것으로, 인간의 개입을 최소화하면서 초정밀 금속제품을 빠르고 정확하게 제작하는 기술이다. 이 기술이 뒷받침되지 못하면 미사일이나 우주발사체 같은 최첨단 금속/기계 제품을 만들 수 없다. 실제로 북한은 2009년 8월에 이미 확보한 첨단 수준의 CNC 기술을 민수부문에서도 활용하겠다고 공식적으로 선언했다. 달리 말하면, 군사용으로 우선 활용하기 위해 개발된 CNC 기술을 민수부문에서도 적극 활용하여 경제발전 속도를 높이겠다는 전략이 채택된 것이다. 과학기술을 통해 국방은 물론 경제도 함께 발전시키겠다는 전략이 다음 단계로 넘어가는 순간이었다.

2009년 당시 북한의 생산현장은 대부분 1980년대 말 수준에 멈추어 있었다. 1990년대 들어서면서 사회주의권 붕괴와 자연재해, 미국과 핵 분쟁 격화 그리고 최고지도자 김일성 사망 등 내우외환을 겪으면서 경제 시스템 전반에서 문제가 발생했다. '고난의 행군'이라는 이름을 얻을 정도로 극심했던 당시 어려움은 대략 1998년

숨 55

김 정 일 의 과 학 관 :
생 존 도 구 이 자
번 영 수 단 , 과 학 기 술

혹은 2000년 즈음에 겨우 극복했다. 그리고 10년이 흐른 2009년이 되었을 때, 기간 산업을 중심으로 대부분의 산업 부문들이 정상 작동 상태로 전환되었다. 이 상태에서 CNC는 생산 과정 전반을 업그레이드시킬 수 있는 핵심 방법으로 인식되었다. 모든 생산공정을 기계화하고 이를 컴퓨터로 자동 조종한다는 'CNC화'라는 개념을 만들어 확산하기 시작하였다.

CNC 기술의 일반화라고 볼 수 있는 'CNC화'는 생산현장의 수준에 따라 4단계로 세분화되었다. 1) 우선, 중요한 생산 공정을 담당하는 '설비'부터 CNC 기술을 활용하여 개조하고, 2) 점차 그 규모를 늘려, 한 개의 '생산 라인' 전체를 CNC 기술을 활용하여 자동으로 조정, 통제하는 '유연생산체계'를 확립한 다음, 3) '공장 전체'를 CNC 기술을 바탕으로 자동화, 로봇화하면서 동시에 사람이 담당하던 경영, 판단 등도 컴퓨터가 대신 처리하는 '통합생산체계'를 갖추어, 4) 궁극적으로 생산에서 사람의 개입이 없어도 될 정도의 '무인화'를 실현하는 것이다. 이는 정리된 형태로 한꺼번에 발표된 것이 아니라 조금씩 분야별로 다듬어지다가 2011년 말에 이르러 '새 세기 산업혁명'이라는 개념에 포함되어 발표되었다. 2000년대 들어서면서 공개되기 시작하던 김정일의 미래비전 구상은 2010년대까지 '새 세기' 담론으로 다듬어지고 있었는데, 산업의 변화는 '새 세기 산업혁명'이라는 이름으로

발표되었다. 그 최종버전은 2011년 12월 17일 정론 형태로
발표되었는데 그 날이 김정일 사망일이었다.

김 정 일 에   의 한
C N C   기 술   발 전

김정일은 CNC화라는 개념을 통해 북한 경제의 발전
전략을 다듬었을 뿐만 아니라, CNC 기술 자체의 발전에도
적극 개입했다. 1980년 6차 당대회를 통해 공식적으로
후계자로 내정된 김정일은 기존의 과학기술 정책이
잘못되었다는 이야기를 자주했다. 차별화보다 연속, 계승을
중요하게 여기는 북한의 후계자론에 비추어도 이례적인
일이다. 김정일은 지난 시기 과학기술자들에 대해
소홀하게 대한 것을 반성하면서 과학기술자 우대, 세계적
수준에 맞춘 과학기술활동, 컴퓨터를 중심으로 정보화,
자동화 등에 집중해야 한다는 등의 정책을 펼쳐 나갔다.
김정일은 1985년부터 '제2의
공작기계새끼치기운동'을 전개했다. 1959에 시작된 첫번째
공작기계새끼치기운동이 공작기계의 양적 확산을 목표로
한 것이었다면, 두번째 운동은 공작기계의 '대형화, 자동화,
전문화' 등 질적 성장을 목표로 삼았다. 그 결과 CNC로
가기 전 단계인 NC 공작기계 '구성-104호' 시험 모델이
1988년에 제작되었다. 이에 자신감을 얻은 김정일은
이를 더욱 발전시키기 위해 같은 해에 '과학원 산하 전자

숨 57

자동화 과학분원', '전자 자동화 공업위원회'를 조직하였다.
그리고 1991년까지 '구성-104호 분공장'을 만들어 대량
생산하기로 결정하였다. 하지만 1990년대 혼란 속에 '구성-
104호 분공장'은 잠시 가동되다가 흐지부지되어 버렸다.
당과 정부의 지원이 더 이상 이어지지 않았고, 다음 과제도
제시되지 못하였다. 자칫 인공위성 발사체는 물론, 첨단
미사일도 만들지 못하고, CNC화를 통한 경제발전 전략도
불가능한 것이 되어버릴 수 있는 위험한 순간이었다.

       CNC 기술이 다시 국가적 지원을 받게 된 계기는
우연찮게 찾아왔다. 1995년 김정일이 구성지역을 현지지도
하던 중 공장 입구에 전시된 '구성-10호'를 지나가다 알아본
것이었다. 미리 준비되고, 의도되었음을 강조하는 북한의
역사 서술 경향에서 벗어난 설명이었다. 국가적 관심을
받지 못해 멈추거나 퇴보했을 수 있는 CNC 기술 개발이
오히려 한단계 발전한 것을 본 김정일은 부족한 국가
자금을 CNC 기술 개발에 더욱 투자하기로 결심했다. 이런
정책적 투자 결정이 없었으면, 1998년 첫 인공위성 발사체
시험발사는 불가능했거나 더 늦어졌을 것이다.

                    김 정 일 과
                 김 정 은 의   과 학 관
최소한 CNC 기술의 발전과정을 살펴보면, 김정일은 CNC
관련 정책은 물론 기술 그 자체에 대해서도 상당한 수준의

지식을 가졌던 것으로 보인다. 그가 앞장서서 기술발전은 물론 정책 개발, 나아가 미래비전이 그에 의해 다듬어졌던 모습이 많이 보인다. 비록 CNC 기술의 확산과 CNC화의 전면화와 함께 등장한 김정은이지만 그는 이 기술이나 정책 자체를 발전시키는 데 리더십을 발휘하지 않았다. 오히려 CNC화를 널리 확산하여 생산현장의 자동화, 무인화 사례를 구체화하는 데 노력을 더욱 기울였다.

　　　　김정일과 김정은에게 과학기술은 국방력 강화는 물론 경제발전을 위해 필수이며, 특히 자립경제 노선을 유지하기 위해 반드시 우선적으로 발전시켜야 할 부문이었다. 그들은 국방력을 확실히 갖추기 위해 핵탄두는 물론 첨단 미사일을 보유해야 한다. 이는 CNC 기술을 비롯한 첨단 기술이 뒷받침되어야 가능하다. 이렇게 확보된 첨단기술을 생산 현장에서 잘 활용한다면, 생산기술의 발전은 물론, 생산 공정 전반의 혁신을 가능케한다. 이것이 바로 그들이 생각하는 발전 전략, 경제-핵 동시발전 전략의 대강이다.

　　　　김정일과 김정은은 확실히 도구론적 과학관을 가졌다고 할 수 있다. 그들에게 과학은 국방력이자 생산력의 근원이다. 핵무기를 통해 생존을 보장하고, 첨단 과학기술을 통해 급속한 경제발전을 가능하게 한다고 생각하고 있다. 따라서 그들에게 과학기술은 생존의 도구이자 번영의 수단이기도 하다.

김정일의 과학관:
생존 도구이자
번영 수단, 과학기술

우왕좌왕
럭키 레이건

이관수 서울대학교
물리학과를 졸업하고 과학사
및 과학철학협동과정에서 박사
학위를 취득했다. 가톨릭대학교
교양교육원 초빙교수를 거쳐 현재
동국대학교 다르마칼리지에 재직
중이다. 《한겨레》신문에 〈이관수의
인공지능 열전〉을 연재했다.

제군들, 나는
몽상이 좋다. 협잡도 좋다.
망상과 편집증은 더욱 좋다.

중성입자 빔이 좋다.
위성격추 미사일도 좋다.

423개의 스마트 락 무인위성 기지도 좋다.
4600개의 브릴리언트 페블 위성궤도
미사일도 좋다.

핵폭발 X선 레이저가 좋다.
핵 성형작약탄은 더더욱 좋다.

나는 SDI가 좋다.
― 멋진 광기를 보여준 SDI와
그 실패를 기리면서
히라노 코우타 작, 〈헬싱〉 중
소령의 연설을 본 땀

로널드 레이건(Ronald Reagan)의 행적을 보면 그가
말만 앞선 뻥쟁이인지, 잽싸게 이득을 챙기고 나 몰라라
하는 정치꾼인지 알 수 없다. 아마도 때때로 유능하고, 그

62

이상으로 무척 운이 좋은 기회주의자였던 것 같다. '위대한 소통가'(the Great Communicator)로 불릴 정도로 뛰어난 화술을 구사했고, 흡인력이 강하고 성품은 소탈하다고 알려졌지만, 실제 그의 행적이나 그가 펼친 정책은 즉흥적이고 오락가락했다. 그런데도 그가 지금도 미국에서 가장 인기 있는 역대 대통령으로 종종 꼽히는 데에는 그의 개인적인 면모 못지않게 그의 과오로 인한 오명을 누군가가 하필 때마다 대신 떠맡아 주는 행운이 있었기 때문이다. 예컨대, 캘리포니아 주지사 시절 레이건은 역대 최고 수준으로 세금을 인상하고 주정부가 제공하는 복지 수혜의 폭과 양을 축소했다. 칭송은 공화당 출신 주지사가 싹쓸이하고, 비난과 불평은 주의회 다수당인 민주당과 나누었다. 이런 패턴은 대통령 시절에도 반복되었다.

　　　　　과학이나 기술에 대해서는? 과학계의 반응은 그의 퇴임을 앞두고 미국과학진흥협회(AAAS)가 펴낸 보고서의 구절로 대신할 수 있다. 레이건은 "과학 및 기술 정책에 대한 명확한 의제를 가지고 집권한 것이 아니었다. … 예산이 정책을 이끌었고, 지출 삭감이 최우선 목표였다." 사실 이런 평가는 취임 이전부터 예견된 것이었다. 백악관 과학기술정책실은 대통령 과학 자문을 겸하는 자리인데, 예산과 직원이 축소되고 대통령과 만날 기회도 거의 없으리라고 여겨져서 과학계 유력 인사들 중 아무도 대통령 과학 자문직을 맡으려 하지 않았던 것이다. 결국

숨 **63**

우 왕 좌 왕
럭 키　레 이 건

자리를 채운 것은 로스알라모스 연구소의 고위 직원, 조지 키워스(Geroge Keyworth)였다.

내용은 상투적이었어도 표현은 멋진 연설들을 가끔 내놓았던 레이건은 과학기술에 관심이 있었을까? 정작 그의 관심은 억압, 조직 축소 그리고 예산 삭감에 있었다. 단, 국방 R&D는 예외였다. 그중에서도 전략방위구상(Strategic Defense Initiative, SDI) 정책을 추진하며 그가 한껏 드러냈던 중2병 감성은 그 정책을 추진하는 자기 모습을 사랑해 마지않았던 것이라고 확실히 말할 수 있다.

S D I

1982년 하반기 레이건은 정치적 위기에서 헤어나지 못하고 있었다. 레이건에게는 대중의 시선을 돌리고 판을 바꿀 계기가 필요했다. 국내 문제가 골치 아플 때는 외부의 적을 강조하는 것이 고래의 수법. 마침 레이건과 그 일당은 닉슨, 포드, 카터 세 행정부 동안 진행된 데탕트와 전략무기 제한 협정들을 혐오하던 차였다. 문제는 말을 뒷받침할 실적. 1980년 대선 기간 동안 카터가 국방력을 약화시켰다는 비난으로 레이건은 큰 이득을 보았지만, 정작 취임 이후 핵전력 관련으로는 달라진 모습을 제대로 보여주지 못했다.

1982년 12월 백악관 안보 분야 측근 중 몇 명이 밀명을 받고 비밀리에 작업을 진행했다. 대통령 과학 자문 조지 키워스는 물론 국무장관 조지 슐츠 나 국방 장관 캐스퍼 와인버그도 3월에 들어서야 내용을 들었을 정도다. 1983년 3월 8일 유명한 '악의 제국'(Evil Empire) 연설에서 밑밥을 깔았다. "소련은 믿을 수 없으니 핵무기 제한이나 감축을 논할 상대가 아니"라고 주장했다. 긴장과 공포가 고조되었다. 보름 후인 23일에 소련의 핵 공격을 방어할 무기체계를 개발하도록 "과학계에 요청한다"며 SDI를 발표했다. 핵미사일을 막을 수 있다니! 희망이 보이는 듯했다. 연설만 들었을 때는.

S D I   대
아 폴 로   계 획

SDI 발표처럼 대통령이 과학기술 정책을 먼저 질러 버린 사태의 전례가 없지는 않다. 1961년 5월 12일 케네디는 NASA에 미리 알리지 않은 채 1960년대 내로 유인 달 탐사를 성공시키겠다는 연설을 의회에서 질러 버렸다. 하지만 아폴로 계획과 SDI는 여러모로 달랐다. 아폴로 계획에 걸린 바는 미소의 위신이었지만, SDI는 인류의 생존을 위협할 수 있었다.

1950년대 말 미소 양국이 대륙간탄도탄을 배치한 이래, 어느 일방이 선제 또는 예방 핵 공격을 해도 상대방의 핵 반격으로 공멸을 면치 못한다는 상호확증파괴(MAD)가 핵전쟁을 막고 있었다. 양국 모두

숨 65

나름의 방어 수단을 마련해서 탄도탄요격미사일(ABM)을 개발은 했다. ABM에 요격용 핵탄두를 탑재해서, 자국 영토로 내려꽂히는 핵미사일 앞에서 핵폭발을 터트리는 방식이었는데, 배치는 했어도 요격이 제대로 될지는 확신할 수 없었다. 핵탄두 폭발 시 아군 센서망이 일시적으로 먹통이 되면 그나마 다행이고, 자칫 EMP 때문에 방공망이 영구적으로 망가질 수도 있기 때문이다.

하지만 SDI가 성공한다면? 부분 방어만 가능하더라도 전면 핵전쟁을 도발할 능력이 급증한다. 선제 핵 공격으로 소련의 핵무기를 대거 제거하고, 얼마 안 되는 잔존 핵미사일의 반격만 방어하면 되기 때문이다. 주창자는 대소 강경 노선을 자랑하는 레이건. 그의 주변에는 재래전에서도 전술핵 사용을 고려하자는 인사들이 몰려 있었다. 소련 지도부뿐만 아니라 여러 서방 인사들도 겁을 먹었다. 어차피 죽을 바에는 소련이 SDI 무기체계를 배치하기 전에 이판사판 전면 핵전쟁을 일으킬 수 있다고 걱정했다. 패닉에 빠졌던 소련 지도부가 의심도 많고 겁도 많아서 SDI가 블러핑인지 진심인지 헷갈려 한 것이 인류의 홍복인 셈이다.

아폴로 계획과 달리, SDI는 풍족한 예산도 누리지 못했다. 아폴로 계획 시기 NASA의 지출은 1966년 NASA 단독으로 연방정부 지출 대비 4.4%, 미국 총 GDP 대비 0.6%로 정점을 찍었다. 21세기 NASA 예산 대비

연방정부 지출 비중으로는 8~9배, 불변가격 기준으로는
두 배 내외였다. SDI 지출은 1988년에 정점이었는데, 그해
NASA 지출의 45% 수준인 40억 달러로 연방정부 지출
대비 0.4%, 총 GDP 대비 0.1% 미만이었다.

　　　　아폴로 계획은 독립 행정 기구인 NASA가
이미 진행 중인 각종 계획들에 예산을 퍼부어 가속하고,
병렬 개발하는 방식으로 진행됐다. 열광적으로 헌신할
인력도 가득했다. 반면 SDI는 SDI가 대략 무엇이고,
누가 무엇을 어떻게 수행할지 아무것도 정해지지 않은
상태에서 일단 질러진 터라 근 1년 동안 실행 방안을
만들 조직을 어떻게 구성할지 위원회 체제로 논의한
끝에 1984년 4월 국방부 장관 산하의 행정조직으로
전략방위구상국(SDIO)을 신설했다. 초대 국장은 공군
중장이었다. SDIO는 SDI 추진 방향을 놓고 튀어나온
갖가지 판타지 아이디어와 암투에 휩싸였다. 미국
물리학회 등 외부에서는 그 시절 기준으로는 언제 실현될
수 있을지가 아니라 실현이 가능하기나 한 것인지조차
알 수 없는 일에 과학기술자들을 동원한다고 반발했다.
어쨌든 제정신이라면 도저히 해볼 엄두를 낼 수 없거나
해서는 안 되는 실험들이 SDI의 이름으로 진행되는 사태가
남의 돈—미국인의 세금—으로 벌어졌다.

우 왕 좌 왕
럭 키 　레 이 건

ABM 체제와 달리 SDI는 다층적이었다. 크게
구분하면 소련 대륙간탄도탄을 발사 후 상승 단계에서
포착·요격하는 것이 1단계, 1단계 요격망을 삐져나온
대륙간탄도탄에 요격미사일 탄두를 직접 충돌시켜
파괴하는 것이 2단계였다. 여기에 적의 탄도탄 공격을
포착하는 탐지망이 토대가 되었다. 결과적으로 탐지망
부분에 가장 많은 예산이 투입되었다. 셋 중 유세를 떨기
가장 힘든 분야이지만, 바로 그래서 판타지와 논란이 가장
적었고, 1단계와 2단계에 기술을 원용할 수 있을 것으로
기대되었다. 이때 진행된 R&D 덕분에 미군의 전략적
감시 능력이 발달했다. 현재 미국 우주군의 주 임무는
위성궤도에 배치된 감시 자산을 운용하는 일이라고 한다.

　　　　2단계가 봉착한 비판은 날아오는 탄도탄에
요격용 탄두를 직접 충돌시키는 것이 가능하기나
하겠느냐는 의문이 핵심이었다. 당대에는 당연히
불가능했다. 40여 년이 지난 지금은? 당시 꿈꾸었던 2단계
요격 체계가 부분적으로 구현되기는 했다. 대륙간탄도탄
요격용으로는 알래스카 등지에 배치된 GBI 미사일
40여 발이 미국의 최후 방어선을 담당한다고 한다.
대륙간탄도탄 요격보다는 덜 어려운 중·단거리 탄도탄
요격용 미사일은 몇몇 국가가 생산하는데, 한국도 몇 번의

실험 끝에 지난 2024년 11월 L-SAM 개발 완료를 선언했다.

이런 요격미사일은 어느 정도 효과가 있을까? 지난 10월 이란이 300여 발의 탄도탄으로 이스라엘의 군사시설을 보복 공격했을 때, 이스라엘군과 미 해군이 요격한 것이 최근에 벌어진 실전이다. 미 해군은 10발 내외의 SM3 미사일로 예닐곱 발의 이란 탄도탄을 비행 도중 파괴했다. 이스라엘군의 애로우 미사일 탄두와 충돌해서 파괴된 듯한 이란 탄도탄의 몸통을 이스라엘 민간인들이 발견해서 SNS에 사진을 올렸다. 하지만 목표가 된 이스라엘 공군 비행장의 피격은 막지 못했다. 인명피해는 없었다는데, 비행장이 한동안 무력화되었던 것으로 추정된다고 한다.

이란-이스라엘 교전 사례는 탄도탄 방어의 전략적 문제점이 아직 해결되지 못했음을 보여준다. 이미 레이건 시절, 냉전 전략가 폴 니츠나 물리학자 한스 베테 등 원로들은 아무리 값비싸고 정교한 방어 수단이 기술적으로 완성도가 높더라도 상대적으로 저렴하고 단순한 공격수단을 더 많이 사용한다면 파훼당할 것이라고 지적했다. 결국 자원 동원 능력—대개는 경제력—의 차이가 관건인 셈이다. 앞으로도 상당 기간 탄도탄 요격 미사일은 제한전 상황에서 부유한 교전자가 단기적인 피해를 감소시키는 전술적 수단으로 기능할 듯싶다(물론 특정 전역(戰域)의 전술적 이점이 전략적 구도를 유리하게

우 왕 좌 왕
럭 키 레 이 건

이끌 수도 있지만, 그것은 SDI 이전 ABM 체제에서도
작동했던 메커니즘이다).

등   뒤 에 서   찌 르 기 와
판 타 지 가   난 무 한
스 타 워 즈

결국 SDI 구상의 차별점은 위성궤도에 배치된 무기들이
담당하는 요격 1단계였다. 기술적으로 가능한지 아닌지를
언제쯤 판단할 수 있을지조차 알 수 없었던 문제였다.
여기에 일단 화두를 던지고 나머지는 부하들에게 맡기는
레이건의 스타일이 맞물려 혼란과 배신과 협잡이
난무했다(레이건식 일 처리 방법은 꼬리 자르기가
자연스럽게 작동한다는 장점(?)이 있다).

　　　SDI의 조상 격인 아이디어가 1950년대 말부터
있기는 했다. 육군 중장 출신으로 국방정보국(DIA)장과
CIA 부국장을 역임하고 퇴역 후 레이건 선거본부에
참여한 다니엘 그레이엄은 헤리티지 재단의 도움을 얻어
'똑똑한 바위'(Smart Rock)를 위성궤도에 배치하자는
구상을 추진했다. '똑똑한 바위'는 저궤도 위성궤도에
띄우는 대형 무인 인공위성으로, 각종 감지기를 탑재하고
소련을 감시하는 기지 역할을 하다가 대륙간탄도탄
발사가 감지되면 상승 중인 대륙간탄도탄에 적외선 열추적
미사일을 자동 발사하는 시스템이었다. 한 인공위성이 소련

상공에 오래 머무를 수는 없지만, 그레이엄 그룹의 계산에 따르면, 423개의 똑똑한 바위를 띄워 놓으면 소련의 핵공격을 막을 수 있었다. 이 그룹에는 로버트 하인라인과 제리 퍼넬 같은 밀리터리 SF계의 거장도 있었다.

다른 일파는 에드워드 텔러가 중심이었다. 텔러의 기반인 로렌스 리버모어 연구소는 캘리포니아에 있었고, 레이건은 주지사 시절부터 가끔 텔러와 마주치곤 했다. 텔러 그룹은 위성궤도상에서 터뜨리는 핵폭발에 매료되어 있었다. ABM의 핵폭발이 지상의 무기체계를 방해한다면, 더 높은 곳에서 폭발시켜 그럴 염려를 줄인다는 발상이었다. SDI 연설 이전까지 그레이엄 일파와 텔러 일파는 협력했다. 짧지만 레이건과 면담하기도 했고, 비서실장이 대통령 과학 자문 조지 키워스에게 내용 좀 조사해 보라는 명을 내리기도 했다. 호전적인 매파인 키워스는 물리적으로 불가능한 일이라고 생각하면서도 그레이엄과 텔러 등의 주장을 정리해서 보고하기도 했다. 그러고는 아무런 후속 조치나 피드백이 없이 감감무소식이던 차에 갑자기 레이건의 SDI 연설이 터져 나온 것이다. 암투가 시작되었다.

'똑똑한 바위' 구상의 장점은 돈만 많이 들이면 기존 기술을 발전시키는 것만으로 배치할 수 있어 보인다는 것이었다. 덜 혁신적이었다. 단점은 띄우는 데 돈이 너무 많이 들 것 같고, 유지보수가 거의 불가능할 것

우 왕 좌 왕
럭 키   레 이 건

같으며, 소련이 덩치가 큰 '똑똑한 바위'를 직접 공격하면 대책이 없다는 점이었다. 텔러 일파는 이 점을 집요하게 물고 늘어져서 결국 구상을 폐기시켰다. 그레이엄은 SDI 계획에서 밀려났다.

텔러 일파가 내세운 핵폭발 X-선 레이저의 장점은 핵폭탄 하나에 X-선 레이저 발진 장치를 여러 개 붙여 두면, 한 번의 폭발로 여러 발의 대륙간탄도탄을 위성궤도에서 격추할 수 있다는 점이었다. X-선은 빛의 속도로 날아가므로, 더 멀리 더 높은 고도에 배치하더라도 대륙간탄도탄을 요격할 시간이 충분했다. 또 더 높은 고도에서는 더 천천히 위성궤도를 움직이며 더 넓은 범위를 감시하기 좋았다. 그런데 X-선 레이저를 어떻게 조준할 것이며, 과연 핵폭발로 X-선 레이저를 발진시킬 수 있을까? 텔러가 확신한 이유는 로렌스 리버모어 연구소에서의 계산과 대용 실험 결과가 희망적이었기 때문이다. 이것이 기술적으로 요원하다고 봤던 다른 이들은 지하 핵실험으로 확인해 보기로 했다. 그의 인생에서 여러 번 있었던 바와 같이, 자연은 또다시 텔러의 일방적인 기대를 배신했다. 공식 보고서의 결론은 X-선 레이저가 예상 출력에 도달했다는 증거가 없다고 기재되었는데, '그런 거 없다'는 뜻이다.

우주 핵폭발을 포기할 수 없었던 텔러 일파가 다음 타자로 내세운 것은 핵 성형작약탄이었다. 깔때기 모양의 금속 라이닝 뒤에서 폭약을 터뜨리면 금속의 일부가 초고속 메탈 제트로 튀어 나간다. 현재도 대전차 미사일 탄두로 널리 쓰는 기술이다. 폭약 대신 핵폭탄을 사용하면? 더 큰 에너지가 투입되니 더 고속 메탈 제트가 튀어 나가서 표적을 순식간에 무력화시킬 것으로 기대되었다. 실험으로 확인해 보니 예상보다는 못 미친 위력이지만 초고속 메탈 제트가 발생은 했다. 그런데 핵폭발의 특성 때문에 무기로는 가망이 없다는 지적이 나왔다.

체면이 상한 텔러 일파는 SDIO 내 다른 연구팀들과 연합해서 '반짝이는/천재적인 조약돌'(Brilliant Pebble) 구상을 만들었다. '똑똑한 바위'의 진화형인 '반짝이는 조약돌'은 발달한 센서 기술을 활용해 대형 인공위성을 띄우는 대신 소형 센서를 탑재한 소형 요격미사일 묶음을 다수 배치하자는 구상이다. 요격미사일 묶음 단위로 센서 데이터를 공유하고, 각 미사일 유도장치들이 협력 계산하면 대형 인공위성에 탑재한 장비들 없이도 필요한 성능이 나올 것이라는 생각이었다. 요격미사일 묶음은 더 작으니 소련이 직접 공격하기 더 어렵다는 점도 장점으로 거론되었다. 뻔뻔한 태세 전환이었지만, 뻔뻔하지 않으면 텔러가 아니다. '반짝이는 조약돌' 4,600개 내지 12,000개 수준이면 소련의 핵공격을 막을 수 있다는 계산이었다.

우 왕 좌 왕
럭 키 레 이 건

빔 병기파도 죽지 않았다. 무기로 쓸 만한 고출력 X-선 레이저는 환상 속의 존재지만, 적외선이나 가시광선 레이저는 이미 현실의 존재였다. 무기로 쓰려면 일시적으로라도 고출력이 필요하다는 점에서 급격한 화학 반응을 이용해서 레이저를 발진하는 화학레이저 인공위성 배치 방안도 유력했다. 핵미사일 탄두에 레이저로 흠집을 내놓으면 대기권 재돌입 과정에서 탄두가 저절로 타버리거나 망가질 것이었다. 위성에 탑재할 만한 고출력 에너지원 개발도 느리지만 꾸준히 진전되고 있었다. 그러다가 단순하고 뼈아픈 지적이 나왔다. 핵미사일 탄두에 빛 반사 코팅을 해 놓으면? 너무나 저렴한 조치만으로 레이저 무기의 효용이 격감한다(요즘 거론되는 드론 공격용 레이저도 같은 취약점을 지니는데, 이상하게도 자주 거론되지 않는다. 손거울보다는 광선검이 더 매력적인 탓인지도 모르겠다). 코팅을 극복하고 탄두에 흠집을 내려면 초거대 에너지원이 준비되어 있거나, 핵폭탄급 에너지가 필요했다.

이런 요격 1단계용 위성 무기들은 미국의 군사력 우위를 유지하는 데 도움이 될까? 그렇지 않을 수 있다는 물증이 1980년대 후반 위성궤도를 돌고 있었다. 1985년 9월 13일 미 공군은 실험에 성공했다. 11km 상공의 F-15가 발사한 위성격추 미사일(ASM-135 ASAT)의 탄두가 고장 난 채 지상 555km에서 지구를 공전 중인 자국 위성에 초속 6.7km로 직격했다. 무수히 많은 파편이 발생했다. 지상 레이더로 추적 가능한 파편 285개 중 8개는 1998년 1월 이후에도 위성궤도를 떠돌았고, 2004년이 되어서야 마지막 파편이 떨어졌다. 소련이 미국의 위성 무기를 파괴하면 다른 위성들이 그 잔해에 충돌해서 파괴될 염려가 있다. 자칫하면 위성 파괴 폭주 사태가 벌어질 수도 있다. 그런데 미국의 군사력 우위는 통신과 감시를 담당하는 군사위성에 의지하는 바가 크다(일론 머스크의 스타링크 위성들을 제외하면, 현재 기준으로도 모든 작동 위성의 40%가량이 군사위성이고 대부분이 통신용이다). 그런데 자칫 위성 파괴 폭주 사태를 일으킬 위험을 증대하는 일은 미국의 국가안보 이익을 저해하는 일이기도 하다. 위성 무기 배치를 국제적으로 금지하는 것이 안보 이익을 높이는 방안이라는 견해들이 조금씩 힘을 얻고 있었다.

이렇듯 진심으로 소련의 핵미사일을 방어하려는 것인지, 기회가 생겼으니 신나게 이런저런 실험을 해보자는 것인지 판단하기 힘든 난장판이 벌어지는 동안, 레이건은 SDI의 내부 진행에 관심이 없었다. 일단 선언하고, 대중에게 성과가 있었다고 자랑할 수 있는지 확인하는 것 이상의 주의를 기울이지 않았다. 레이건 스타일! 어쩌면 이렇게 예산을 쏟을 정도로 관심 있다는 자세를 취하는 것까지가 진짜 목적이었을 수도 있다. 대통령이 기술적 내용을 알 리도 없고, 알아야 할 필요도

숨 75 우 왕 좌 왕
럭 키 레 이 건

없다. 하지만 원하는 바를 명확하고 구체적으로 적시하는
것은 대통령의 일이다. 그래야 대통령이나 국가가 원하는
바를 달성하기 위해 무슨 목표를 어떻게 달성해야 하는지
전문가들이 제대로 논의할 수 있기 때문이다.

스타워즈의 소멸, SDI의 황혼

소련으로 하여금 막대한 대응 예산을 쓰게 했기 때문에
SDI가 결과적으로는 효용이 있었다는 믿음이 있다.
믿음이 꼭 근거가 필요한 것은 아니지만 소련 측의 사정을
살펴보자. 브레지네프 집권 후반기에 소련 경제는 성장률
급감으로 고통을 겪었다. 식량 수출국에서 수입국으로
몰락했고, 생필품 공급도 힘들어졌다. 설상가상으로 오판에
오판을 거듭한 끝에 아프가니스탄 침공을 벌여 외교,
군사, 경제적으로 만신창이가 되었다. 1983년 '악의 제국'
연설이나 SDI 발표는 소련 체제에 스트레스를 그다지
추가하지 못했다. 이미 궁지에 몰려 있었기 때문이다.
게다가 1986년 봄 체르노빌 원전 사고가 터졌다. 그해
초겨울 레이캬비크 회담에서 레이건은 고르바초프
서기장에게 SDI 기술을 공유해주겠다는 제안을 했다.
고르바초프는 함정인지 진의를 고심하다가(SDI보다
파훼법이 더 싸다), 반쯤 진심을 담아 기술을 공유해주어도
감당할 돈이 없다고 답했다. 다음 해 소련 지도부는 SDI가

겁주려고 뻥 쳤다는 결론을 내렸다고 한다.

　　　　　1988년 11월 9일, 미국 대선에서 부시가 당선된 다음 날 베를린 장벽이 붕괴되었다. 1991년 1월 부시는 SDI를 지구 전역 미사일 방어계획(GPALS, Global Protection Against Limited Strikes)으로 축소한다고 발표했다. 위성 무기보다는 위성궤도 배치 탐지체계로 중심을 옮겼다. 1991년 12월 26일 소련이 최종적으로 붕괴했다. 이제 SDI는 명분도 갈 곳도 잃었다. 레이건이 남긴 모든 부담에 허덕이던 부시는 결국 1992년 대선에서 클린턴에게 패배했다. 1993년 5월, 클린턴 대통령이 탄도탄방어국(BMDO)으로 사업을 축소하면서 위성 무기 개발은 임무에서 완전히 사라졌다. 레이건의 SDI 연설 이후 10년 6개월 만이었다.

더　큰　정부,
더　빈약한
비국방　R & D

레이건은 감세 정책, 특히 노골적인 부자 감세로 기억되는 레이거노믹스와 '작은 정부'로 유명하다. 실제로는 어땠을까? 돈을 펑펑 썼다(다음 장 그림 참조). GDP 대비로 보자면 그의 집권기 동안 GDP 대비 평균 지출은 카터 시절의 20.7%에서 21.7%로 늘었다. 또 연방정부 고용인 수 증가율도 늘었다. 연방정부 규모가 더 가파르게

숨 77

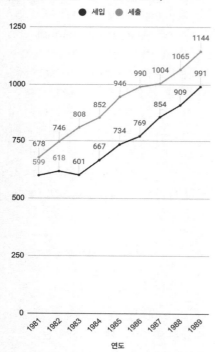

미국 연방 정부 세입, 세출
(명목달러기준, 10억 달러 단위)

● 세입 ● 세출

레이건 시기 미국 연방정부의 지출과 세입(명목 달러 기준, 10억 달러 단위).
1981 회계연도는 카터 행정부 지출과 세입임. 자료 출처: Edwards, Chris
(2004, June 8) *Reagan's Budget Legacy*, Cato Institute
https://www.cato.org/commentary/reagans-budget-legacy

커진 것이다. 감세는, 실행은 했다. GDP 대비 연방정부 세입이 카터 시절 평균 18.3%에서 레이건 집권기에는 17.5%로 줄어들었다.

특히 1983 회계연도(1982.4.1.~1983.3.31.) 동안에는 GDP 대비 22.9%를 지출하고, 17%만을 징수했다. GPD 대비 5.9% 규모의 적자는 야수의 심장만이 감당할 수 있다(양차 세계대전, 2008년 금융위기, COVID-19 사태 다음으로 큰 규모다. 뉴딜, 한국전, 베트남전, 걸프전, 이라크전쟁, 아프가니스탄전쟁 때보다도 더 큰 규모의 적자였다). 한편 영국의 대처 정부도 레이건 정부와 마찬가지로 재정 확대와 부자 감세를 동시에 감행했다. 결국 재정 측면에서 소위 신자유주의는 실제로는 고소득층에게 수혜를 몰아주는 케인스주의였던 셈이다. 단 GDP 대비 총세입을 레이건 정부는 감축했고, 대처 정부는 오히려 늘렸다. 대처는 레이건보다 더 잔혹했던 것이다.

그래도 작은 정부를 외쳤으니 체면치레도 하고 싶고, 막대한 적자도 내심 신경 쓰였나 보다. 감축 대상이 필요했다. 가장 큰 표적은 사회 복지·보건 예산이고, 버금가는 표적은 R&D 예산이었다. 국방 R&D 예산은 SDI를 발표하기 이전부터 꾸준히 증가했지만, 비국방 R&D 예산은 카터 행정부의 70~85% 사이를 오가다가 유지하다가 부시 행정부에 들어서야 카터 시절 수준으로

우 왕 좌 왕
럭 키   레 이 건

회복하였다. 이것도 실은 행정부가 비국방 R&D 담당
부서들의 예산안을 깎아서 제출하면 다시 의회가 증액해서
책정한 일이 여러 차례 발생해서 유지된 정도이다.

레 이 건 의
심 술 을 뚫 어 낸
보 건 의 료   R & D

주요 비국방 R&D 분야 중 가장 비중이 큰 분야는
보건복지부 산하 국립보건원(NIH) 및 기타 보건의료
기구들이 관장하는 의료 분야인데, 이 분야만큼은 예산
충격을 덜 겪었다. 행정부가 종종 세부 부문별로
10여% 때로는 25% 감액한 예산을 제출해도 의회가 늘려
책정한 덕분이다. 이 분야의 R&D 예산은 1982년 회계연도
237억 달러(이하 모두 2025년 달러 가치 환산액)로 카터
말년의 94%로 살짝 줄었다가 꾸준히 증가해서 레이건
말년에는 1.5배를 넘어 384억 달러에 이르렀다. 비 국방
R&D에서 가장 큰 비중을 차지하는 NIH의 R&D 예산은
보건의료 분야의 47~49%를 유지했다.

　　　　　하지만 각론에서는 레이건의 완고한 면모가
드러난다. 레이건 행정부는 암 연구 예산안을 전년도
의회가 책정한 예산보다 명목가격 기준으로 더 감액해서
제출하곤 했다. '마약과의 전쟁'을 치르면서 마약사범을
대거 수감하고 마약 거부 캠페인을 진행하면서도

알코올약물중독정신건강국(ADAMHA) 예산은 한동안 감축했다. 하긴 이란-콘트라 스캔들에서 드러난 것처럼 미국 정보 기구의 일부 조직원들이 마약 밀수를 방조하거나 조력해서 자금을 충당하던 시절이었다. '나쁜 짓'에 빠져드느냐 아니냐는 개인의 성품과 선택에 달린 문제로 간주하는 레이건의 시대다운 일이었다. AIDS 대책도 그러했다. 레이건이 취임한 1981년부터 AIDS 환자가 나타났는데, 취임 4년 차에서야 AIDS 연구 예산이 NIH 연구 예산의 1%를 넘겼을 정도로 무관심했다. AIDS 대 확산 사태 와중에서도 레이건은 그의 행정부가 이미 충분히 대처하고 있다거나 최우선 보건 문제로 대처 중이라는 발언을, 정확히는 발언'만'을, 거듭했다. 심지어는 연방정부의 대책들이 결혼 생활 내의 "책임 있는 성적 행동"을 강조하여야 한다는 메모를 작성하기도 했다.

NASA :
감 축 과   비 극 을
견 디 고   회 복 세 로

그래도 NIH는 NASA보다 사정이 나았다. NASA의 R&D 예산은 카터 말년(FY1981)의 183억 달러에서 레이건 취임 2년 차(FY1983)의 81억 달러로 55%가 감축되었다. NASA의 관료주의를 철폐하기 위해 임명된, 기업인 출신 국장 아래서 일어난 일이다. 연구개발 조직에서 R&D 예산이

우 왕 좌 왕
럭 키   레 이 건

결딴나는 일이 어떻게 관료주의 철폐일까? 혹시 NASA 자체를 철폐하려는 건가? 무언가 잘못되었다는 조용한 분노와 그에 못지않은 공포가 NASA에 스며들었다. 중간 간부들은 정권의 마음에 들 만한 프로그램을 궁리했다.

그래서 나온 것들 중 하나가 1984년 8월 레이건이 자랑스레 발표한 '우주로 가는 교사'(Teacher in Space) 프로젝트였다. 교사를 몇 명 선발해서 스페이스 셔틀을 타고 우주를 다녀오게 하겠다는 것이었다. 레이건은 교사의 사기를 박살 내고 있다는 비난(후술)을 받고 있던 차에 그렇지 않다고 뽐낼 기회였다. NASA 국장으로서는 전문 우주비행사로 훈련된 NASA 구성원만 우주를 비행한다는 관료주의적 관행을 타파하고, 외부 민간인에게도 우주비행을 개방하는 실적을 쌓을 기회였다. NASA 구성원들로서도 스페이스 셔틀의 범용성을 강조할 기회였다.

다음 해 고등학교 과학 교사 크리스타 매콜리프가 첫 대상자로 선정되었다. 매콜리프가 탑승할 스페이스 셔틀 챌린저호의 첫 발사 예정일은 1985년 7월이었다. 그런데 11월로 연기되었고 다시 1986년 1월 22일로 정해졌다. 며칠 발사대기 후 1월 28일, 챌린저호는 전국에 생중계되는 가운데 현지시각 오전 11시 39분 13초, 발사 후 79초 만에 고도 14km에서 폭발하였다. 1월 31일, 레이건은 발사 현장에서 열린 추도식에서 챌린저호

승무원을 기리는 연설을 했다.

　　　　2월 4일에 이루어진 애도로 가득 찬 국정연설
다음 날부터 조사위원회가 활동을 개시했다. 2월 11일
생중계된 조사위원회의 첫 청문회에서 물리학자 리처드
파인만이 O-링의 기계적 문제를 누구나 알아볼 수 있게
시연하였다. 후일 밝혀진 바에 따르면, NASA의 중하급
간부와 직원들이 파인만이 그 문제를 깨달을 수 있도록
여러 가지 힌트를 일부러 흘렸다. 3월, 백악관은 챌린저호
발사를 압박한 적이 없다는 자체 보고서를 발표했다.
5월, NASA의 4대 국장으로 NASA 내부의 신망이
높았던 제임스 플레처가 7대 국장으로 임명되었다. 그는
NASA 내부 개혁을 제대로 이끌었고, 취임 전 101억
불(FY1986)에서 퇴임 직후 170억 불(FY1990)로 나름
R&D 예산 증가도 성취했다. 허블우주망원경을 승인하고
지원한 최고 책임자도 플레처였다.

뒤틀린　에너지부,
곡예　하는
국립과학재단
(NSF)

레이건은 카터 임기 초기(1977.10)에 만들어진 에너지부와
중기(1979.10)에 만들어진 교육부를 혐오했다. 두 부처를
해체하겠다는 것이 대선공약이었다. 결과적으로 지키지

우왕좌왕
럭키　레이건

못했지만, 그의 의도와 노력은 진심이었다. 에너지부의 연구개발은 두 축인데 하나는 핵무기 개발 및 관련 기초학문 분야 지원이고, 다른 하나는 에너지 절약과 대체에너지 분야였다. 레이건 행정부는 전자를 선호하고 후자를 혐오했다. 에너지 공급 문제에 정부가 끼어든다면 엉망진창이 되니, 에너지 위기일수록 시장에 맡겨야 한다는 믿음으로 혐오를 정당화했다.

두 분야가 모두 합해진 에너지부의 R&D 예산은 카터 말년의 204억 달러(FY1981)에서 18% 줄어든 168억 달러(FY1982)로 출발해서 오르락내리락 144억 달러(FY1987)까지 줄었다가 155억 달러(FY1989)로 끝났다. 에너지부의 R&D 예산은 대부분 산하 국립연구소들의 고유 프로그램에 충당되고, 국립연구소에는 로스앨러모스, 로렌스 리버모어, 페르미, 산디아 등등 핵 관련 분야의 기라성 같은 연구소들이 즐비하다. 즉 두 번째 축에 투입될 예산은 원래부터 많지 않았다. 특히 미국의 대체에너지 관련 연구와 기술은 레이건 시대를 통해 나락으로 떨어졌다.

'미국 정부의 과학 기술지원'을 상징한다고 여겨지는 국립과학재단(NSF)의 재정 규모는 의외로 작다. 그래도 모든 과학 분야를 지원한다는 유일한 특성을 보유한다. 그래도 아니 그래서인지 유탄을 피할 수 없었다. R&D 예산 액수로만 보면 타격이 크지 않아 보인다. 레이건 임기 첫해(FY1982)의 예산은 2024년 불변가격 기준으로 30억 달러, 그 전 해에 비하면 불과 5%만 줄었다. 이후 대체로 증가해서 레이건 말년(FY1989)에는 44억 달러 수준으로 첫해에 비해 44%나 늘었다. 내막은 조금 다르다.

레이건 정부는 출범하자마자 NSF 예산에서 이미 확정 장학금을 제외한 모든 교육 예산을 삭감해서, 1억 1천만 달러에서 1천만 달러로 90% 이상 감액하자고 했다. 경제학 및 사회과학 지원 예산도 3천4백만 달러에서 1천만 달러로 70% 삭감을 강제했다. 레이건 본인이 1981년 3월 "유토피아 몽상가들이 학생들을 조작"(the manipulation of schoolchildren by utopian planners)하지 못하게 해야 한다고 발언할 정도였다. 결국 그해 가을 NSF 국장인 존 슬러터(카터가 임명)는 의회 예산청문회에 출석해서 레이건 행정부의 예산 정책에 전혀 동의할 수 없다고 공개적으로 반기를 들었고, 다음 해 메릴랜드 대학 총장으로 나갔다.

사실 정권의 요구가 이상했다. 실용적인 공학 기술 개발지원이나 중소기업 기술이전 촉진 사업은 상무부나 교통부, 농무부 등등이 더 적합할 수 있었다. 과거에는 이들 부처가 그런 역할을 했다. 그런데 왜 NSF에게 "기술! 기술! 실용! 실용!" 거리며 강조했을까? 더구나 레이건 임기 동안 연방정부 전체의 공학 분야 R&D 지출(국방 부문 제외)은 첫해(FY1982)에 84억 달러를

숨 85

우 왕 좌 왕
럭 키 레 이 건

기록한 이래 오르락내리락하는 완만한 감소 추세였다. 마지막 해에는 87억 달러(FY1989)로 튀었다가 부시 임기 첫해(FY1990)에는 80억 달러로 복귀했다. 레이건과 연방정부는 무슨 생각이길래 NSF가 행정적 곡예를 부리게 만들었을까? 혹 혼내 준다는 충동 외에는 아무런 생각이 없었던 것이 아닐까?

연 방 정 부 와
과 학 기 술   투 자

레이건의 노선을 '신연방주의'라 부르곤 하는데, 감히 연방정부 따위가 미국민의 신성한 자유와 권리에 침해해서는 안 되며, 국민 개개인과 더 밀접한 주정부와 지자체에 연방정부의 권한을 이양해야 한다는 정도쯤 된다. 미국은 강하고 위대하며, 미국적인 전통을 훼손하는 일은 미국을 약자로 몰락시키는 일이라는 정서가 밑바탕에 있는 것 같다. 문제는 구체적인 판단기준이 그때그때 오락가락한다는 점이다.

예외도 있다. 유력한 이너 서클 인사가 개입하면 법령 적용도 연기되었다. 1982년 일본이 제5세대 컴퓨터 계획을 발표하자, 미국에서도 대응책을 수립하자는 여론이 일었다. 움직인 사람은 NSA 국장을 거쳐 CIA 부국장으로 재임 중이던 4성 제독 보비 인먼(Bobby Ray Inman). 사임하자마자 카리스마와 인맥으로 여러 기업에서 연구진을 모아 MCC(Microelectronics and Computer Technology Corporation)를 텍사스주 오스틴에 1983년 설립했다. 가입비와 운영비를 내면 공동연구 결과를 얻어가는 구조였다. 미국 법체계에서 이는 불법이었다. 산업체 특허는 자사 시장에 경쟁 업체가 진입하지 못하게 막는 역할을 한다. 공동으로 특허를 취득하면 기업들이 서로 결탁하여 시장 경쟁을 저해하기 때문에 반독점법의 규제를 받는다. 인먼 제독은 법무부를 설득해서 수사도 기소도 하지 않겠다는 확약을 받아냈다. 연방정부의 올드 보이 네트워크가 법 집행을 사사로이 막은 것이다. 그 사이 의회가 움직여 협력 연구 결과를 이유로 반독점법을 적용하지 못하도록 1984년 국가협력연구법(NCRA)을 입법했다.

NCRA법을 활용해서 한술 더 뜬 사례가 세마테크사다. 미국 정부와 14개 반도체 업체는 일본 반도체 업계에 대항하기 위해 1987년 반도체 제조 기술 개발 협력 연구회사인 세마테크사를 설립했다. 미국 국방부가 최소 5년간 매년 1억 달러씩 보조금을 지급하고, 참여 업체들이 대응 자금을 출연하는 방식이었다. 반도체 제조에 사용하는 실리콘 웨이퍼의 직경이 커진 것은 세마테크사의 연구가 큰 기여를 했다고 한다. 연구 성과가 축적된 1996년, 세마테크사는 미국 정부의 보조금을 끊고 외국 제조사들을 끌어들여 국제 연구 컨소시엄으로

우 왕 좌 왕
럭 키   레 이 건

변신했다. 현재는 MCC도 세마테크사도 폐업했고, 두 회사가 주력했던 분야에서 미국 산업계가 딱히 두각을 내지도 못한다.

원자력 발전처럼 연방정부의 개입이 엇갈린 분야도 있다. 원자력 업계는 원전 건설사와 원전 운영사 모두 카터를 반대하고 레이건을 지원했다. 원자로 엔지니어 출신인 카터와 그의 멘토인 리코버 제독은 카터 취임 당시부터, 즉 스리마일 원전사고 2년 전부터 민간 원전 업계에 대한 규제와 감독을 강화했기 때문이다. 레이건 당선 직후 벡텔사의 회장 조지 슐츠와 최고 법률 자문 캐스퍼 와인버거는 새 정부에서 해외 원전 진출을 촉진할 방안을 의논했다. 벡텔사는 미국 내에서 원전 공사를 가장 많이 수주한 건설사이고, 닉슨 행정부 출신인 두 사람은 곧 입각이 확실시되는 상황이었다(와인버거는 곧바로 국방부 장관에, 슐츠는 2년 후 국무장관에 취임하였다). 레이건 정부는 규제 여부는 주정부와 지자체가 맡겨야 한다고 주장하면서도, 원전 건설만큼은 주정부와 지자체의 규제가 과도하다고 압력을 넣고는 했다. 또 해외 원전 건설 수주도 좀 늘어나서 벡텔사가 한국에서 실적을 올릴 수도 있었다.

원전 건설업계와 달리 원전 발전업계는 혜택을 보지 못했다. 1960년대 말부터 원전 발전업계의 주요 관심사는 사용 후 핵연료의 상업적 재처리 문제였다.

원자력 발전단가는 여전히 석탄 발전단가보다 높았기 때문에 원자력 발전만으로 이익을 올리기 힘들었다. 만일 사용 후 핵연료를 재처리해서 플루토늄을 판매할 수 있으면 폐기물 처리 비용을 지출하는 대신 추가 수입을 올릴 수 있었다. 더구나 원자력에너지위원회(AEC)가 민간 재처리 공장 건설 보조금을 주고, 재처리한 플루토늄을 이익을 남길 수 있는 가격으로 구매하겠다고 확약한 상태였다.

그런데 인도가 발전 전용 원자로로 여겨지던 경수로를 사용 후 핵연료를 재처리해서 1974년 원자폭탄을 제작하는 데 성공했다. 깜짝 놀란 포드 행정부는 민간 재처리를 무기한 연기했고, 다음 카터 행정부는 재처리 영구 금지를 선언했다. 예상 이익이 눈앞에서 사라진 원전 발전업계는 격분했고, 열렬히 레이건을 지지했다. 레이건 당선 직후 열린 원전 업계 모임은 승리의 축배를 올렸다. 1981년 레이건은 금지령을 철회하였다. 여기까지는 좋았다. 하지만 재처리 공장 건설 보조금을 되살리지도, 생산된 플루토늄 구매 확약을 맺지도 않았다. 민간의 일은 민간에게, 정부의 일은 정부에게. 금지령도 없지만, 보조금도 없었다. 슐츠와 와인버거를 보유한 건설업계와 달리 발전업계는 연방정부 불개입 기조를 되돌릴 유력 인사가 없었다. 미국에서 원자력 발전단가가 석탄 발전을 따라잡은 것은 석탄 발전 환경규제가 강화되고, 원자력 발전소들이 인수 합병 열풍 세례를 받고 난

우 왕 좌 왕
럭 키   레 이 건

1990년대의 일이었다.

레이건식 연방정부 운영에 과학계가 나름 적응한 경우도 있기는 하다. 레이건 집권기 후반 물리학계는 '위대한 미국'을 내세워 초전도 초거대 가속기(Superconducting Super Collider) 예산을 따냈다. 생물학계는 게놈 프로젝트를 출범시켰다. SSC 자금은 에너지부 예산에, 게놈 프로젝트 비용은 에너지부와 NIH 예산에 반반씩 계상되었다. SSC와 SDI는 레이건이 물러나며 동력을 잃었다. 이렇듯 레이건식 신연방주의는 대기업에 관해서는 오락가락한 행보를 보인 반면, 환경과 과학에 대해서는 일관되게 당파적 면모를 보였다.

내 몸과 마음은
믿어도 과학의
언어는 안 믿는다

감각적인 호오에 따라 오락가락하는 덕분에 레이건은 많은 유권자의 공감을 얻었다. 정치인으로서는 장점이다. 하지만 좁게는 미국의 환경 행정과 R&D, 넓고 길게는 미국 공화당과 인류 문명에 불행을 가져온 씨앗이 되었다. 아, 물론 과학 연구가 대체로 덜 틀린 방향으로 나아간다고 믿는 입장에서 말이다. 대안적 사실을 신봉한다면 판단은 다를 수 있다.

캘리포니아 주지사 시절 레이건은 다른

캘리포니아 주지사들보다 자연보호 구역을 더 많이 추가했다. 그는 공기 및 수질에 대한 더 엄격한 규제를 시행했다. 또한 강에 댐을 건설하려는 계획을 중단시켰으며, 캘리포니아의 야생 및 경관을 보호하는 법안에 서명했다. 이렇듯 직접 보고 마시고 느끼는 환경에 대해서는 강경한 환경주의자처럼 보였다.

몸으로 느끼는 것이 아니라면? 불신했다. 특히 기업 활동과 충돌할 때면, 연방정부가 해롭고 사악하며 부당한 규제를 가한다고 여기는 경향이 짙었다. 레이건은 연방기관의 사명에 공감하는 전문가를 기관장으로 임명하는 관행을 버렸다. NASA가 당했고, EPA도 당했다. 그는 규제를 당해 온 업계 출신 인사들을 선택했다.

환경보호청(EPA)은 닉슨이 1970년에 설립하고, 카터가 권한을 확대한 연방 기구다. 레이건은 EPA 청장으로 38세의 기업 변호사이자 콜로라도에서 하원의원으로 두 번 당선된 앤 고서치를 임명했는데, 의원 시절 각종 환경 입법에 반대표를 던진 바 있다. 고서치는 EPA 직원들의 사기를 저하시키고, 소외시키고, 재편했다. 신임 청장이 임명한 고위 간부들은 대부분 Aerojet General, Exxon 등 화학물질 관련 규제를 받는 업체 관계자였다. 고서치는 취임 연설에서 직원들에게 "우리는 더 적은 예산으로 더 많은 것을 할 것이고, 여러분 중 소수 인원만으로 그 일을 해낼 것입니다."라고 당당하게

우 왕 좌 왕
럭 키 레 이 건

선언했다. 그러고는 1981년과 1983년 사이에 직원을 21%
감축했다. 여러 개소의 지역 사무소를 해체하고 직원들을
다른 사무소로 흩었다. 첫 일 년 동안 환경 보호 집행
건수가 약 4분의 3으로 줄었다. EPA의 R&D는커녕 기존
업무의 지속 가능성조차 위험해졌다. 실내 공기 오염 문제
R&D는 억제되었다. 고서치는 포름알데히드 문제 연구를
한때 중지시킬 정도였다.

그러던 중 1983년 수퍼 펀드 스캔들이 터졌다.
수퍼 펀드는 환경을 오염시킨 주체가 모호하거나
확정하기 어려울 때 EPA가 먼저 자체 비용으로 복구하고,
나중에 가능하면 구상권을 행사하는 제도로 카터 때
만들어졌다(법률 용어는 이해를 돕기 위해 한국어화했다).
그런데 캘리포니아 담당인 리타 라벨이 제리 브라운에게
유리할까 봐 수퍼 펀드 제도 적용을 일부러 미룬 것이
내부 고발되었다. 제리 브라운은 캘리포니아 주지사 시절
레이건의 정적이었고, 라벨은 레이건의 주지사 시절
인쇄담당 비서실 직원이었다. 결국 고서치는 사임하고
라벨은 위증죄로 유죄판결을 받았다. 같은 시기 내무부
장관인 제임스 G. 와트가 노천광산을 거의 마음대로
채굴할 수 있도록 허용했고, 토지및수자원보존기금(the
Land and Water Conservation Fund)의 폐지를 획책한
것이 드러났다. 자잘한 횡령과 독직 의혹도 연달았다.
레이건 정권의 반환경 노선 문제로 비화했다. 환경 문제는

정파적 문제로 부각되었다. 레이건은 고서치와 라벨의
개인적인 일탈을 수습하기 위해 EPA 초대 청장인 윌리엄
러클하우스를 다시 청장으로 임명하였다. 레이건의
태도가 바뀐 것일까? 그럴 리가. 두 번째 대통령 임기 내내
레이건의 EPA 청장은 펄프회사 사장이었다.

　　　　　짐작할 수 있듯이 레이건 임기 내내 연방정부
기관들 내에서 기후변화 연구는 상사의 눈총을 받았다.
연구 프로젝트가 취소되기도 했다. 그렇다면 수수께끼가
생긴다. 레이건이 1987년 CFC를 규제하는 몬트리올
의정서에 순순히 서명했던 것은 어떻게 설명될 수 있을까?
눈에 보이지 않는 과학 연구를 수용해서 기업 활동을
규제하다니, 레이건답지 않다. 반전은 레이건의 취미였다.
그는 따가운 햇볕이 내리쬐는 캘리포니아의 자기 목장에서
승마를 즐겼다. 누구나 알듯이 따가운 햇볕은 몸을
괴롭힌다. 여기에 1985년 5월 《네이처》 표지에 남극
오존층 구멍 그래픽이 실렸다. 그로부터 3달 후 레이건의
코에서 피부암이 발견되어 제거 수술을 받았다. 그 암은
이론의 여지 없이 따가운 햇볕에서 따가움을 담당한다는
자외선이 유발하는 암이었다.

소위 지적설계론과 '창조과학'이 활개를 칠 길을 활짝
열어준 것도 레이건이었다. 카터도 지적설계론에 마음이
간다고 이야기는 했지만, 정치적 동원의 대상으로

숨 93

삼지도 연방정부 차원에서 부추기지도 않았다. 반면 레이건은 대선 기간 동안 '창조과학' 지지자들을 모아 찬동 연설을 하고 지지를 호소했다. 아무리 레이건이라도 '창조과학'을 교과과정에 일률적으로 넣을 수는 없었다. 대신 워싱턴에 또아리 틀고 있는 관료(NSF의 과학교육 담당자들)들이 우리 아이들의 교육을 좌지우지하는 것은 용납할 수 없다고 강조했다. 그래서 카터가 신설한 교육부를 폐지하려고 획책하고(교육부 장관이 간신히 설득해서 기능 축소로 막았다), NSF의 과학교육 예산을 학살하다시피 했다. 교육은 아이들과 밀접한 지역 사회가 결정해야 한다는 명분을 내세웠다(연방의 교육지원 예산도 농무부가 시행하는 급식 지원 예산도 삭제되거나 대폭 감액되었다). 레이건 일파의 지원에도 힘입어 과학자들의 반대를 뚫고 지적설계론이나 '창조과학'을 교과과정에 삽입하는 지역사회나 주가 늘어났다. 레이건의 두 번째 NSF 국장 때부터 NSF는 과학 커리큘럼 개발 지원 사업을 내세워―감히 과학교육 내용을 제시하겠다고는 못했다―, 지역사회가 커리큘럼을 잘 결정하도록 돕겠다는 식으로 우회 접근하였지만 이미 대세는 바뀌었다.

　　　　이런 반문이 가능하다. 레이건과 그 지지자들은 과학 내용이 지역마다 달라진다고 생각한 것인가? 아무리 레이건과 지적설계론자들이라도 그 정도는 아니었다. 거추장스러운 각종 환경규제가 정말로 근거가 있는지

의심해 보자는 선동, 기후변화나 진화 등등은 어차피
워싱턴의 관료들 손에서 유포되는 것이니 그들의 손에
맡기면 안 된다는 나름의 정당화. 이런 태도로 무장하고
레이건 지지자들은 과학 연구 결과를 선택적으로 믿어주고
불신하는 것이 옳다고 주장하기 시작했다.

　　　　　1970년대 초 과학을 믿고 지지하느냐는
여론조사에서 자칭 보수층은 자칭 중도나 리버럴보다 훨씬
더 많이 믿는다고 답했다. 1960년대 말 반문화 열풍을
겪은 직후라 자칭 리버럴들이 믿는다고 답변한 비율이
낮은 것은 자연스러워 보인다. 그런데 레이건 집권기부터
보수층의 과학 신뢰도가 떨어지고 리버럴의 과학 신뢰도가
올라가기 시작했다. 레이건과 그의 지지자들은 마음에
드는 과학기술(SDI)을 격찬하고, 그렇지 않는 과학은
불신해도 된다는 선례를 미국 문화에 새겨 넣었다.
이제는 미국의 자칭 보수층은 과학을 그다지 신뢰하지
않는다. 기후변화가 아니라 기후변화를 경고하는 연구가
삶을 위협한다고 여긴다. 공화당이 그렇게 변한 것인지,
그런 사람들이 공화당 지지로 모인 것인지 머리카락을
쪼개며 헤아리는 정치학 연구도 나올 지경이다. 링컨과
아이젠하워의 공화당은 영원히 사라졌는가?

　　　　　양당제 국가에서 정권이 바뀌면 정부의
과학기술 정책이 어느 정도는 영향을 받기 마련이고,
때로는 영향을 받는 것이 마땅할 때가 아예 없다고는 말 못

한다. 그래도 레이건 시절이 보여준 반면교사는 업자들이 연구 개발자들을 괴롭히게 판을 깔지는 말라는 것과, 과학 연구 결과가 당파적 이해와 충돌한다고 해서 거짓말이라고 폄훼하지는 말라는 것이다. 전 지구적으로 레이건의 가장 큰, 그리고 가장 끔찍한 유산은 과학지식을 당파적으로 휘둘러도 된다는 선례를 남긴 것인 듯싶다.

스스로 생각하는 힘
동무와 함께하는 마음

고래가그랬어

통권 251호 / 매월 5일 발행 / 210
쪽 내외 / 컬러 / 1권 14,000원

정기구독 안내
1년 정기구독_
168,000원
문의 02-324-9131
www.goraeya.co.kr

〈고래가그랬어〉는 세상의 주역으로 커가는
작은 시민들의 교양 놀이터입니다.
교양은 나를 삶의 주인으로 만들고
내가 살아갈 세상을 좀더
좋은 곳으로 만드는 힘입니다.
어린이들은 〈고래가그랬어〉와 놀고
소통하며 민주주의의 본디 정신과 가치를
느끼고 깨우칩니다.
2003년 10월 창간한, 하나뿐인 어린이 교양지
〈고래가그랬어〉와 만나세요.

아 이 젠 하 워 의
리 더 십 과
과 학 기 술 정 책

송성수 현재 부산대학교
교양교육원 교수로 재직 중이다.
한국과학기술학회 회장, 부산대
교양교육원 원장 등을 역임했고,
현재 한국과학사학회 부회장을 맡고
있다. 저서로 『우리에게 기술이란
무엇인가』, 『사람의 역사, 기술의
역사』, 『한국의 산업화와 기술발전』,
『한국인의 발명과 혁신』 등이 있다.

드와이트 아이젠하워(Dwight David Eisenhower, 1890~1969)는 제2차 세계대전 때 연합군 총사령관을 맡아 노르망디 상륙작전을 지휘했던 인물이다. 전쟁 후에 그는 미국 육군참모총장(1945~1948년), 컬럼비아대학교 총장(1948~1953년), 북대서양조약기구 최고사령관(1951~1952년) 등을 지냈으며, 1953년 1월부터 1961년 1월까지 미국의 제34대 대통령으로 재임했다. 군사 전문 작가인 존 우코비츠(John Wukovits)는 아이젠하워를 "상하, 국적, 보수와 진보를 초월한 소통과 통합의 리더"로 치켜세웠다.

" 나 는   아 이 크 를
좋 아 해 "

아이젠하워는 1948년 5월에 컬럼비아대학교의 총장으로 취임했다. 전임 총장의 사무실은 전용 엘리베이터를 통해서만 출입할 수 있었는데, 아이젠하워는 학생들이 쉽게 다가올 수 있도록 앞이 잘 보이는 1층으로 사무실을 옮겼다. 그는 회고록에서 다음과 같이 썼다. "학생은 대학의 중요한 존재 이유이자 나에게는 캠퍼스 생활에서 무엇보다 중요하고 매력적인 존재이다. 그런데 학생들이 서류상의 수치에 불과한 존재로 치부되고 캠퍼스에서 모르는 얼굴들로 지나쳐버릴 위험이 있었다."

1951년에 아이젠하워는 두 가지 중요한 문제에

대해 고민했다. 하나는 자신이 공화당을 지지하는지, 민주당을 지지하는지의 문제였고, 다른 하나는 대통령 선거에 출마할 것인가 하는 문제였다. 양쪽 정당은 유명한 장군의 크나큰 인기를 수백만의 표로 바꾸기 위해 계속해서 러브콜을 보냈다. 1952년 1월에 아이젠하워는 공화당을 지지한다는 입장을 밝혔다.

아이젠하워는 그가 어떤 정치적 훈련을 했는지 궁금해하는 기자에게 다음과 같이 말했다. "도대체 무슨 소리를 하는 겁니까? 나는 인생의 대부분을 가장 활발한 정치조직 속에서 보냈습니다. 미국 육군보다 더 활발한 정치조직은 세계 어디에도 없습니다." 아이젠하워는 "나는 아이크를 좋아해"(I Like Ike)라는 슬로건을 내걸었는데, '아이크'는 오래전부터 사용되어 온 그의 애칭이었다. 그는 공화당의 대통령 후보로 지명된 후 경쟁자였던 태프트(Robert A. Taft) 상원의원을 찾아갔다. "나는 우리가 함께 일할 수 있기를 바랍니다." 기존의 전통을 깨는 파격적인 행보였다.

당시 미국은 불확실한 미래와 마주해 있었다. 한국전쟁은 끝이 보이지 않았고, 유럽에서는 소련의 위협이 심화되었다. 미국 국민들은 안정감 있고 의무감이 뛰어난 아이젠하워를 지도자로 선택했다. 1952년 겨울에 치러진 제34대 대통령 선거에서 아이젠하워는 442대 89라는 압도적인 차이로 승리했다. 1933년부터 20년 동안

아이젠하워의
리더십과
과학기술정책

민주당이 장기 집권했다는 점도 플러스 요인이 되었다.

아이젠하워는 균형 감각이 뛰어난 지도자였다.
나설 때와 물러설 때를 잘 알았고, 힘 조절에 뛰어났다.
1950년 2월에는 소위 '빨갱이 사냥'으로 불리는 매카시
선풍이 일어났다. 공화당 상원의원인 매카시(Joseph R.
McCarthy)가 미국 국무부 안에 205명의 공산주의자가
있고 자신이 이에 관한 증거를 가지고 있다고 주장했다.
아이젠하워는 매카시를 별로 달가워하지 않았지만
공개적으로 비난하지는 않았다. "이렇게 골치 아픈 일을
해결하는 데 아주 효과적인 방법은 그를 무시하는 것이다."
그러나 매카시가 공무원과 정치인을 넘어 육군을 공격하자
아이젠하워 정부는 매카시의 비리를 폭로하는 것으로
대응했다. 결국 1954년 12월에 연방 상원은 67대 22로
매카시의 만행에 대한 '비난'을 결의했다.

평화를 위한 원자력
아이젠하워는 1953년 12월 8일에 있었던 유엔총회
연설에서 '평화를 위한 원자'(Atoms for Peace)를
제창했다. 연설은 "저는 오랜 세월 직업군인으로 살아오며
결코 언급하지 말았으면 했던 '핵전쟁'에 대해
말씀드리고자 합니다."로 시작된다. 아이젠하워는 소련과
영국이 원자탄 개발에 성공함으로써 핵을 독점하는 시대가
끝났다는 점을 상기시킨 후 "핵무기를 보유한 나라가 단

한 번이라도 기습공격을 한다면 엄청난 피해를 초래할 것"이라고 지적했다. 이어 "군사용 핵 물질의 감축과 제거만을 모색"하는 것을 넘어 "원자력을 군사용 용도에서 벗어나 평화의 기술로 도입"해야 한다고 역설했다.

아이젠하워는 몇 가지 구체적인 방향도 제시했다. 첫째, 우라늄을 비롯한 핵분열 물질을 국제기구에 위탁함으로써 전 세계적인 관리시스템의 토대를 구축한다. 둘째, 핵분열 물질의 평화적인 사용에 관한 연구를 장려하고 연구자들이 실험에 필요한 모든 물자를 공급받을 수 있도록 보장한다. 셋째, 신생 독립국을 포함한 세계 각국이 전력 생산용 원자로를 건설하는 것을 적극 지원한다. 연설 말미에서 아이젠하워는 다음과 같이 말했다. "미국은 여러분과 전 세계 앞에서, 무서운 핵 딜레마를 해결하기 위해, 다시 말해 인간의 놀라운 발명이 인간을 죽음으로 이끌지 않고 인류의 삶을 위해 공헌할 수 있도록, 그 해법을 찾는 데 전력을 다할 것을 맹세합니다."

아이젠하워가 표방한 '평화를 위한 원자(력)'는 '전쟁을 위한 원자탄'과 대비되는 것으로 과학기술의 역사상 매우 성공적인 수사적 전략으로 평가받고 있다. 그의 연설은 실제로 상당한 성과를 유발하기도 했다. 국제원자력기구(International Atomic Energy Agency, IAEA)는 1956년의 유엔총회에서 설립 헌장을 승인받았으며, 1957년에는 유엔 산하의 독립기구로

아 이 젠 하 워 의
리 더 십 과
과 학 기 술 정 책

발족되었다. 1954~1957년에는 펜실베이니아주 쉬핑포트에 세계 최초 '순수' 상업용 원자력발전소가 건설되었고, 거기서 채택된 가압경수로는 미국의 대외지원 프로그램에 따라 여러 국가로 수출되었다.

아이젠하워의 평화에 대한 메시지는 한순간에 나온 것이 아니었다. 그는 대통령으로 취임한 직후인 1953년 4월 16일에 미국 신문편집자협회(American Society of Newspaper Editors)의 회원들 앞에서 '평화를 위한 기회'라는 연설을 했다. 아이젠하워는 "인류가 전쟁의 위협이라는 구름 아래 '철십자'(cross of iron)에 매달려" 있다고 지적하면서 군대의 규모 제한, 대량살상무기의 제한, 원자력의 평화적 이용 등을 포함한 군축 프로그램을 제안했다. 이 연설에서 그는 군사적 비용과 평화적 비용을 다음과 같이 대비시키면서 전쟁이 무익하다는 점을 설파했다.

"무기로 가득한 세계가 소모하는 것은 돈만이 아닙니다. 이러한 세계는 노동자의 땀과, 과학자의 재능과, 어린이의 희망을 소모하고 있습니다. 현대식 중폭격기 1기의 비용은 30개 이상의 도시에 현대식 벽돌조 학교를 세우는 비용과 맞먹습니다. 이 돈이면 6만 명 인구의 도시에 충분한 전력을 공급할 수 있는 발전소를 2기나 지을 수 있습니다. 이 돈이면 완벽한 설비를 갖춘 병원을 2개나 지을 수 있습니다. 이 돈이면 콘크리트 고속도로를

50마일이나 닦을 수 있습니다. 우리는 전투기 한 대를 위해 밀 50만 부셸에 해당하는 값을 치르고 있습니다. 우리는 구축함 한 척을 위해 모두 8천 명 이상이 살 수 있는 새 주택에 해당하는 값을 치르고 있습니다."

스 푸 트 니 크 충 격 에
대 한 대 응

1957년 10월 4일에 소련이 세계 최초의 인공위성인 스푸트니크 1호를 발사하자 미국은 큰 충격에 휩싸였다. 과학기술 강대국을 자부하던 미국이 인공위성 발사의 선두를 빼앗긴 것은 엄청난 수치로 여겨졌다. 스푸트니크 자체가 당장의 위협은 되지 않았지만, 그것을 우주 공간에 쏘아 올린 로켓은 핵탄두를 미국 본토로 겨냥할 수 있는 미사일이 될 수 있었다. 당시에 상원 청문회는 스푸트니크 발사를 '기술적 차원의 진주만 공습'으로 규정했으며, 언론들은 '미디어 폭동'으로 평가될 정도로 선정적인 보도를 연발했다.

스푸트니크 충격을 계기로 아이젠하워는 과학기술정책에 관한 기구를 대대적으로 정비하는 작업에 착수했다. 그는 1957년 11월 7일에 '과학기술 특별보좌관'이란 직제를 신설하여 MIT 총장이던 제임스 킬리언(James R. Killian)을 첫 보좌관으로 임명했다. 20일 뒤에는 대통령 직속 과학자문위원회(President's

아 이 젠 하 워 의
리 더 십 과
과 학 기 술 정 책

Science Advisory Committee, PSAC)를 설치하여 백악관과 과학기술계가 직접적으로 의사소통할 수 있는 통로를 구축했다. 1959년 3월 13일에는 PSAC의 권고를 바탕으로 연방과학기술회의(Federal Council for Science and Technology, FCST)가 구성되었는데, 그 회의에는 연구개발을 담당하는 모든 연방기관의 책임자들이 참여했다.

　　　　1958년에 들어서는 지금도 존재하는 두 개의 중요한 조직이 탄생했다. 미국 국방부는 1958년 2월에 첨단 국방기술에 관한 연구를 보다 체계적으로 수행하기 위해 고등연구계획국(Advanced Research Projects Agency, ARPA)을 설립했다. 1958년 7월에는 국가우주항공법이 제정되면서 항공과 우주개발을 포괄하는 민간기구로 국립항공우주국(National Aeronautics and Space Administration, NASA)이 설립되었다. NASA는 1961~1972년에 아폴로 계획을 추진하여 세계적인 주목을 받았고, ARPA는 1969년에 인터넷의 기초가 된 아르파넷을 개발한 바 있다.

　　　　1958년 9월에는 국가방위교육법(National Defense Education Act)이 제정되었다. 이 법은 1862년에 제정된 모릴 법(Morill Land-Grant Colleges Act)과 함께 연방정부의 차원에서 교육개혁을 대대적으로 추진한 대표적인 법안으로 평가되고 있다. 국가방위교육법은

아 이 젠 하 워 의
리 더 십 과
과 학 기 술 정 책

과학기술정보의 수집과 활용, 과학 교육과정의 개편,
이공계 대학생에 대한 장학금 지원, 과학교사의 처우
개선, 대학의 과학연구 활성화, 외국인 유학생의 유치
등이 대대적으로 추진되는 계기를 제공했다. 우리나라의
과학기술자 제1세대가 미국 유학을 경험할 수 있었던
데에도 미국의 과학교육 개혁이 중요한 배경으로 작용했다.

　　　　이처럼 아이젠하워는 '스푸트니크 충격'이라는
돌발적 상황에 직면하여 일련의 정책변동을 착실히
추진했다. 그의 침착한 태도와 과학기술에 대한 활발한
지원으로 미국 사회를 휩쓸고 있던 일종의 공포감이
가라앉을 수 있었다. 그러나 아이젠하워는 인공위성이나
우주선의 개발과 같은 현실적인 접근을 선호했으며, 인간을
우주로 보내기 위해 예산을 투입하는 데는 적극적이지
않았다. 아이젠하워의 미온적 태도는 1960년 대통령
선거에 나선 민주당 후보 케네디(John F. Kennedy)에 의해
신랄한 비판을 받았다. 아이젠하워와 달리 케네디는 우주
경쟁이 군사적 용도에 그치는 것이 아니라 국가의 위신에
엄청난 가치가 있다는 점을 잘 알고 있었다.

1 9 6 1 년
아 이 젠 하 워 의
고 별　 연 설

아이젠하워는 퇴임이 얼마 남지 않은 1961년 1월 17일에

고별 연설을 했다. 여기서 그는 '군산복합체(Military-industrial complex, MIC)'의 개념을 꺼내 들었다. 아이젠하워는 "평화 유지에 있어 주요한 요소의 하나는 우리 군사력의 확립"이라고 전제하면서도 "해마다 미국 기업 전체의 순이익을 합친 것보다 더 많은 비용을 군사 안보에 쏟고" 있다는 점을 지적했다. "방대한 군사 체계와 대규모 군수산업의 결합은 미국의 새로운 경험"이지만 "그것이 갖는 중대한 함의를 이해해야만 한다"라고 강조했다.

　　　　"우리는 정부의 위원회에서 군산복합체가 의도적이든 아니든 간에 부당한 영향력을 획득하는 것을 막아야 합니다. 그러한 부당한 권력이 파국적으로 생겨날 가능성은 현재에도 있고 앞으로도 지속될 것입니다. 이 복합체의 힘이 우리의 자유와 민주적 절차를 위협하게 내버려두어서는 안 됩니다. 우리는 그 어느 것도 당연하게 생각해서는 안 됩니다. 깨어 있고 지식을 갖춘 시민들만이 거대한 산업적·군사적 방위 체제와 우리의 평화적인 방법 및 목표를 제대로 결합시킬 수 있고, 그렇게 함으로써 우리의 안보와 자유가 함께 번성할 것입니다."

　　　　아이젠하워가 제기한 군산복합체는 이후에 군산'학'복합체로 확장되었다. 군산학복합체의 개념은 미국의 대학들과 거기에 속한 과학기술자들이 국방연구에서 담당해 온 역할에도 주목해야 한다는 문제의식을 깔고 있다. 사실상 MIT와 스탠퍼드대학교를

아 이 젠 하 워 의
리 더 십 과
과 학 기 술 정 책

비롯한 미국의 유수한 대학들은 제2차 세계대전 이후 국방연구를 통해 급속히 성장할 수 있었다. 대학에서 수행하는 연구의 많은 부분이 국방연구에 의존하게 되었고, 대학의 연구 활동이 군수산업의 이해관계와 맞물려 공고한 체제를 형성했던 것이다. 군산학복합체가 구축되면서 과학기술 엘리트에 대한 비판도 제기되었는데, 아이젠하워의 고별 연설에서 이에 대한 대목이 나온다는 점도 흥미롭다.

"역사적으로 자유로운 생각과 과학적 발견의 근원지였던 대학은 연구의 수행에서 혁명적인 변화를 겪었습니다. 연구에 필요한 엄청난 비용 때문에 정부와의 연구계약이 사실상 지적 호기심을 대체하고 있습니다. 오래된 칠판 대신에 이제는 수백 대의 새 컴퓨터가 들어섰습니다. 이 나라의 학자들이 연방정부의 고용관계나 프로젝트의 배분이나 돈의 힘에 휘둘릴 가능성은 항상 존재하며, 우리는 이 문제를 심각하게 고민해야 합니다. 과학적 연구와 발견은 마땅히 존중해야 하지만, 우리는 공공정책 자체가 과학기술 엘리트들에게 통제당할 수 있다는 정반대의 위험 또한 경계해야 합니다. 민주적 시스템의 원칙 안에서 오래된 세력과 새로운 세력을 형성하고 조절하고 통합하며, 언제나 자유로운 사회의 최선의 목적을 추구하는 것이 정치의 임무입니다."

아이젠하워는 1961년 1월 20일에 8년 동안의 백악관
생활을 마무리했다. 1951년에 대통령의 임기를 두
번으로 제한한 수정헌법 제22조가 비준되었기 때문에
아이젠하워는 더 이상 대통령에 도전할 수 없었다.
아이젠하워가 맡은 임기를 모두 마치고 대통령직에서
물러나자 의회는 그에게 종신 육군원수(General of the
Army)의 직책을 부여했다. 이후에 그는 펜실베이니아주
게티즈버그에서 회고록을 집필하면서 말년을 보내다가
1969년 3월 28일에 심장병으로 세상을 떠났다.

아이젠하워는 군인 출신으로 냉전 시대에
대통령을 지낸 인물이었지만, 계속해서 평화의 메시지를
보냈다. 군축의 필요성을 제기하면서 평화를 위한 원자력을
추진했다. 군사력의 중요성을 누구보다 잘 알고 있으면서도
군산복합체의 부당한 영향력을 경계했다. 또한 스푸트니크
충격이라는 예상치 못한 상황에서도 과학기술에 대한 지원
체제를 차분히 정립하는 행보를 보였다.

아이젠하워에게 가장 중요한 덕목은 '균형'이었던
것으로 보인다. 그는 고별 연설의 초반부에서도 균형을
키워드로 내걸었다. "민간과 공공경제 부문 사이의 균형,
비용과 이익 사이의 균형, 필수 불가결한 것과 부가적
편의를 위한 것 사이의 균형, 국가로서 필수적으로

아 이 젠 하 워 의
리 더 십 과
과 학 기 술 정 책

수행해야 할 사항과 국가가 개인에게 부과하는 의무
사이의 균형, 당장을 위한 행동과 미래 국가의 안녕 사이의
균형"이 그것이었다.

　　　　균형을 주장하는 것과 실제로 이루어내는
것에는 엄청난 차이가 있다. 균형을 강조하면서 별다른
일을 하지 않는 경우도 종종 있다. 그러나 아이젠하워는
대통령 재임 초반부터 평화의 메시지를 보냈고,
스푸트니크 충격에 대응하여 다양한 조치를 내놓았으며,
퇴임할 때에도 당당하게 군산복합체를 거론했다. 이런
점에서 아이젠하워는 아인슈타인의 다음과 같은 경구에
어울리는 인물이었다. "인생은 자전거를 타는 것과 같다.
균형을 잡으려면 움직여야 한다."

　　　　아이젠하워는 한국과도 인연이 깊다. 그는
1952년 12월에 대통령 당선인의 신분으로 한국을 처음
방문했다. 대통령 선거에서 한국전쟁의 종식을 약속한
아이젠하워는 측근들의 만류에도 불구하고 한국행을
고집했다. 그는 한국전쟁이 단기간에 끝날 수 없다는
점을 직감했으며, 미국으로 돌아온 후 정전협정을 적극
추진했다. 아이젠하워는 1960년 6월에도 한국을 방문했다.
미국 대통령으로서는 첫 방한이었다. 당시 서울에서는 구름
같은 인파가 몰려나와 그의 애칭인 '아이크'를 연호했다.

— 김명진, 『모두를 위한
테크노사이언스 강의: 대학, 기업,
정부의 관계로 본 20세기 과학사』,
궁리, 2022.

— 박범순·김소영 엮음, 『과학기술정책:
이론과 쟁점』, 한울, 2015.

— 드와이트 아이젠하워, 오정환
옮김, 『세계의 대회고록 전집 18:
아이젠하워』, 한림출판사, 1978.

— 월터 맥두걸, 강윤재 옮김, 『하늘과
땅: 우주시대의 정치사』 총2권,
한국문화사, 2014.

— 존 우코비츠, 박희성 옮김,
『아이젠하워』, 플래닛미디어, 2017.

— Daniel J. Kevles, *The Physicists:
The History of a Scientific
Community in Modern America*
(Cambridge, MA: Harvard
University Press, 1971; New York:
Knopf, 1977)

아 이 젠 하 워 의
리 더 십 과
과 학 기 술 정 책

메 르 켈
정 부 의
과 학 기 술 정 책

박진희 서울대학교 자연과학대학
물리학과를 졸업하고 베를린
공과대학교에서 수학한 뒤
같은 학교에서 과학기술사학
박사학위를 받았다. 현재 동국대학교
다르마칼리지 교수로 재직하면서
한국과학기술학회 회장을
역임했고 (사)에너지전환포럼
공동대표로 활동하고 있다.
『근대엔지니어의 성장』(2014),
『근대엔지니어의 탄생』(2013),
『한국의 과학자 사회』(2010) 등을
집필했고, 『나노기술의 미래로
가는 길』(2022), 『기후변화에
대응하는 재생에너지』(2014),
『테크노페미니즘』(2009) 등을
우리말로 옮겼다.

현대의 과학기술정책은 정부를 이끄는 대통령이나 총리 등
한 사람의 독단적인 결정으로 이루어지지는 않는다. 정부
조직이라는 시스템의 특성, 정책 문화와 역사, 정책 환경
등 여러 요소들에 의해 결정된다. 그렇지만 정책 내용이
결정되는 당시 최종 결정권자인 대통령 혹은 총리가
과학기술 정책 중에서도 무엇에 더 큰 관심을 보이는가,
과학계와 어떤 연관을 맺고 있는가에 따라 정책 내용이
달라질 수 있는 것도 사실이다. 한 국가의 과학기술정책을
알아보고자 할 때 정책 결정에 관여한 대통령 혹은 총리의
철학, 리더십의 특성을 살펴보는 것은 이 때문이다.

　　　　독일 최초 여성 총리이자 과학자 출신의
성공한 정치가인 앙겔라 메르켈(Angela Dorothea
Merkel)은 8대 연방 총리로 16년 동안 재임하며 독일과
유럽연합의 세계적 지위를 높여 놓았다. 세계에서 가장
영향력 있는 여성 정치지도자로도 뽑혔던 메르켈 총리는
2021년 퇴임과 더불어 자신의 업적에 대해 다양한
평가를 받았다. 메르켈은 정치 문제를 극단적이지 않은
방식으로 해결하며 겸손과 배려를 앞세우는 화합형
지도자로서 면목을 세웠다는 평가를 받았다. 경청과 인내,
설득으로 러시아와의 외교 문제, 유럽연합 국가의 재정
문제 해결에도 역량을 발휘하였고 독일 내에서는 난민,
성소수자 문제 등에서 보수당이 진보적 문제 해결에
동참하도록 하였다. 추상적인 비전을 내세우기보다

실용주의적 태도로 정치 문제 해결에 노력한 메르켈에 대해 한 유럽 언론은 "정치 문제를 정책 문제로" 다루어 정치를 기계적이고 과학적으로 돌아가는 것으로 만들어 정치 색채를 퇴색시켰다고 평가하기도 했다. 그러면서 이런 메르켈의 정치 태도는 그가 과학자 출신의 정치가여서 배태될 수 있었던 것으로 보았다.

메르켈은 한 인터뷰에서 "한 걸음 한 걸음 작은 보폭으로 계속 앞으로 나가는 것"이 자신의 정치 철학으로, 극단적인 개혁과 같은 한 획을 긋는 방식으로 문제를 해결하는 것은 피한다고 밝힌 바 있다. 이런 작은 보폭을 취하는 것은 그가 과학 문제를 다루는 과학자로서 훈련받은 정치가였기 때문이기도 하다. 현대 과학에서는 문제들을 가장 작은, 가장 잘 관리할 수 있는 크기로 쪼개어 문제 해결 모델을 개발하고 테스트해서 신뢰할 만한 지식을 축적해 나간다. 축적된 증거 지식을 기반으로 결정하는 것이 해답의 불확실성을 줄이며 다른 해답 가능성에 대해서도 개방적인 태도를 보인다. 과학 훈련을 받아 사실과 증거에 기반하여 문제를 해결하는 데 익숙한 메르켈이었기에 정치의 문제를 정책 문제로 다루고 실용적인 방식으로 문제를 점진적으로 해결하고 극한적 대립을 피하고자 했다. 이런 그의 태도가 '미래의 큰 그림', 대전략을 제시하지 않은 채 단기간의 과제 해결에 집중하도록 만들어 독일이 해결해야 할 몇몇 중요한 사회

메르켈 정부의
과학기술정책

정치적 문제 해결에는 진전을 보이지 못했다는 부정적 평가도 나왔다.

그가 재임하던 시기의 과학기술정책에도 이런 상반된 평가를 받을 수 있는 내용을 발견할 수 있다. 이 시기 과학자 출신 총리의 혜택을 크게 받은 과학기술정책 덕분에 독일 과학계와 산업계가 질적인 발전을 이룰 수 있었다. 라이프치히 대학에서 물리를 전공하고 동독 아들러스호프 과학 아카데미에서 양자화학 박사학위를 취득한 후 물리화학중앙연구소에서 기체 입자 충돌의 양자역학을 연구한 과학자 총리는 누구보다도 과학연구에 관심을 쏟았다. 2005년 11월 총리로 취임한 이듬해에 메르켈은 '연구와 혁신 전문가위원회'(Expertenkommission Forschungs und Innovation, EFI)를 결성하여 정기적으로 독일 연구와 혁신시스템을 평가하고 정책 실행 권고안을 만들도록 하였다. 또한 2008년에 과학기술 분야에 대한 연방정부와 주정부 협력 지원을 강화하기 위해 '공동과학컨퍼런스'(Gemeinsame Wissenschaftskonferenz)를 구성하고 정기 총회에 지속적으로 참석했다. 프라운호퍼 협회 사무처장의 회고에 따르면 메르켈은 과학자들과 정기적인 미팅을 가지며 미팅에 필요한 논문을 읽고 직접 상세한 질문을 하며 연구 방향 설정에도 관여했다고 한다. 물리학 박사로서

기초과학의 가치와 중요성을 잘 이해하고 있었을 뿐만
아니라 모든 응용 영역에 개방적이었고 깊은 관심을
보였으며 혁신 주제에 대해서도 상세한 사항까지 이해하고
있었다고 한다. 이런 과학에 대한 이해와 과학정책 지원에
필요한 제도화 노력이 결합하면서 총리 재임 동안 과학과
기술 연구에 대한 안정적인 재정 지원이 계속될 수 있었다.

　　　　　메르켈 총리 재임 동안 과학기술 분야 예산은
꾸준히 상승했다. 2005년 85억 유로에 머물던 연구부
예산이 2021년에는 208억 유로로 증가했고, 총연구개발
예산이 2007년 GDP의 2.5%에서 2019년에 3.2%로
증가할 수 있었다. 2021년 당시 정부가 목표로 했던 GDP
3.5% 달성을 위한 연구 지원은 현 정부하에서도 지속되고
있다. 이런 지속성이 유지될 수 있는 것은 연방과 주정부
연구 예산을 2030년까지 매년 3% 증액하도록 하는
내용을 구속력 있는 제도로 만들어 놓았기 때문이다.
이런 지원이 보장되면서 독일 과학계는 성과를 이룰 수
있었다. 82개 자연과학 저널들을 모니터링하고 있는
《네이처 인덱스》에 따르면, 독일 논문 출판은 미국과
중국에 이어 3위를 차지했고 화학 분야에서는 노벨 화학상
공동수상자만 2007년, 2014년, 2017년에 계속 배출하였고
2020년에는 단독 수상자까지 배출하였다.

　　　　　이런 정책으로 당시 과학기술계 현안들이
해결되며 과학계와 산업계가 발전을 이루긴 하였으나

　　　메 르 켈　정 부 의
　　　과 학 기 술 정 책

과감한 개혁 정책이 결여되면서 독일의 오래된 문제들을 해결하는 데에는 큰 진전을 보이지 못했다. 기초연구 지원에 대한 공적 지원이 이전에 비해 증가하기는 했지만, 국가연구 개발 수행의 3분의 2를 산업계가 담당하는 상황은 크게 변하지 않았다. 기초연구를 현장인 중소기업 등에서 실제 응용할 수 있도록 하는 정책도 큰 성과를 내지 못했다. 대학 연구자들이 대부분 단기 계약직으로 머물게 되면서 과학연구 인력 수급 불안정성 문제도 제기되었다. 연구 행정 관료화 문제가 해소되지 못하면서 디지털 인프라 구축의 정체, 첨단 기술 혁신 사업 이행 정체는 지속되고 있다는 문제도 제기되고 있다.

에너지 기술 정책에서도 메르켈 총리는 독일의 선도성을 보여주기는 했지만 통합적인 전략정책 수립에 실패하여 정책 성과에 한계를 보이기도 했다. 유럽과 국제 차원에서 기후 위기 대응을 위한 과감한 감축 목표 설정에 메르켈 총리는 적극적이었다. 2007년 유럽연합이 2020년 재생에너지 비중을 20%로 확대한다는 목표를 제시할 것을 주장했고 이를 관철하였으며 독일 내에서도 기후통합 에너지 정책을 발표한 바 있다. 이런 선도성에도 불구하고 탈 원전정책에서 보여준 지그재그 행보, '실행할 수 있는' 정책들에 매몰되어 경제정책 전반을 기후정책에 따라 재편하는 과감한 개혁 정책에는 소홀했다는 평가를 받았다. 그로 인해 기후 위기 대응에 필요한 에너지

기술혁신 정책도 한계를 보였다. 그러나 기후정책에 어느 나라보다 선도성을 보이며 국제적인 기후 정치 협력을 이끌어 온 이는 메르켈 총리였다.

메르켈 정부의
과학 기술 정책

an
ple

갓 sibl

'갓'은 변해가는 것들의 첫 순간에 붙이는 말입니다.
이 순간은 아직 일어나지 않은 일들을 품고 있어서
기대와 두려움이 교차합니다. 에피는 지금 일어나 미래에
영향을 주는 뉴스에 관심을 가지고 이를 독자들께
전달하겠습니다. 어슐러 르 귄의 소설 『로캐넌의
세계』에서 처음 등장했던 '갓(Ansible)'은 빛도 천년을
달려야 닿는 곳에 실시간으로 소식을 전합니다.

"다가오는 21세기는 창의적인 과학기술이 국가발전의 핵심이 되는 고도의 지식산업시대가 될 것입니다. 정보화, 세계화가 지구촌을 지배하게 됨에 따라 국가간의 무한경쟁은 더욱 치열해질 것입니다. 세계의 선진 각국들은 이러한 무한경쟁에서 이기기 위해 세계일류기술을 확보하고 경쟁력을 키우는 데 온 힘을 쏟고 있습니다. 더구나 우리의 경제발전 경험과 기술을 전수받던 후발개도국들이 이제는 우리를 맹렬히 추격하며 위협하고 있는 상황입니다. 이 모든 것은 새 세기를 맞는 우리에게 있어서 분명 커다란 도전입니다. 저는 이와 같은 시대적 도전을 슬기롭게 극복하는 관건은 곧 과학기술의 혁신에 있다고 굳게 믿습니다. 당면한 우리 경제의 어려움을 이겨내고 지속적인 성장을 이룩하기 위해서는, 과학기술의 혁신을 통해 새로운 성장능력을 창출하는 것이 필수적 과제입니다."

제30회 과학의 날 연설
1997년 4월 21일

이 계절의 새 책

과학을 통해 말하는 삶의 아름다움

정인경 과학저술가, 고려대학교 과학기술학협동과정에서 박사학위를 받고 같은 대학 과학기술학연구소에서 연구교수로 활동했다. 저서로는 『내 생의 중력에 맞서』, 『모든 이의 과학사 강의』, 『통통한 과학책 1, 2』, 『과학을 읽다』, 『뉴턴의 무정한 세계』 등이 있다. 고등학교 교과서 『과학의 역사와 문화』(비상교육)를 집필했으며, 《한겨레》 신문에 〈정인경의 과학 읽기〉 칼럼을 썼다.

갓

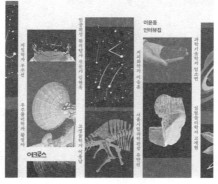

『어떻게 과학을 사랑하지 않을 수 있겠어』,
이윤종 지음, 어크로스(2025)

어떻게 하늘을 사랑하지 않을 수 있겠어. 요즈음 나는
새벽에 일어나 해가 뜨는 것을 본다. 저녁에 해가 지는
시간에 책상 앞에 앉아있고, 자기 전에 밤하늘에 별을
세어본다. 처음에는 해 지는 걸 보기 시작했다. 수평선
위로 솜사탕 같은 분홍색 구름이 흩어지고 석양빛이
바다 물결에 반사되어 비칠 때 마음이 파스텔 톤으로
몽글몽글해졌다. 새벽녘에는 잠에서 깨어 책을 읽곤
했는데 바다 저편을 온통 붉게 물들이는 여명의 빛이
어찌나 아름다운지, 넋을 놓고 바라보았다. 이제는
해돋이를 보려고 새벽에 일어나는 것이 습관이 되었다.
핸드폰으로 몇 컷의 사진을 찍고, 해가 뜨고 지는
위치라든지 계절의 변화를 느끼고 관찰한다. 매일
똑같은 일을 왜 반복하냐고 묻는다면 매일 똑같지 않기
때문이라고 답할 것이다. 날마다 날마다 새로운 나의
하루가 시작되는구나. 그 설렘으로 충분하다.

　　　　새해가 밝았다. 2025년 해돋이를 보기 위해
해변에 사람들이 가득 모여들었다. 올해 해돋이는 맑은
하늘에서 선명하게 보일 것이라는 일기 예보와는 달리,
구름 낀 하늘에 반쯤 걸친 채 해가 솟아올라왔다. 실은
지난해 12월 초부터 비상계엄 사태로 해돋이를 보는
마음이 편치 않았다. 한국의 민주주의를 지켜달라고
간절히 기도했고, 무안공항 참사의 희생자들을 애도하며
오랜 시간 슬픔에 잠겨 있었다. 우리 사회의 모두가

갓 131

그렇듯이 나의 평온한 일상도 깨졌다. 올해의 목표는 영화 〈퍼펙트 데이즈〉의 주인공처럼 사는 것이었다. 자연의 흐름에 몸을 맡기고 반복된 생활 습관으로 자기 세계를 구축하려고 했는데 나의 세계는 TV 뉴스 사이로 빨려 들어가고, 다시 불면의 밤이 이어졌다. 분노와 상념에 휩싸여서 책을 읽기도 쉽지 않았다.

잠 못 이루는 밤에 본 영화, 〈존 버거의 사계〉에서 귀에 꽂히는 말이 있었다. "저항한다는 것은 미래가 무엇을 품고 있든 상관없이 이 순간을 지키기 위해서다." 일이 손에 잡히지 않는 날들이 지속되면서 이 말이 무엇을 뜻하는지 가슴에 깊이 와닿았다. 그즈음에 한 통의 문자가 왔다. 라디오 방송 〈윤고은의 EBS 북카페〉의 이윤종 작가가 과학책을 썼다고 연락했다. 그녀는 이 시국에 신간 서적을 출간한다며 걱정 가득한 이야기를 했다. 나는 다정한 응원의 말로 그녀에게 용기를 주고 싶었다. 세상은 곧 좋아지고 마음 편히 책 읽을 날이 올 거라고. "우리는 해야 할 일을 해야죠"라고 말하며, 과학책을 읽고 쓰던 본연의 일상으로 돌아가고픈 충동을 느꼈다. 그 무엇하고도 바꿀 수 없는 소중한 '이 순간'을 다시 찾고 싶었다.

『어떻게 과학을 사랑하지 않을 수 있겠어』는 문과 출신 방송작가가 8명의 과학자를 만나 인터뷰한 책이다. 이 책에 나오는 과학자들은 내 주위에 잘 알려진

분들이다. 과학자의 이야기라면 나도 알 만큼 안다고
생각했는데 책에서 그려낸 과학자들의 모습은 내가 알던
것 이상으로 진솔하고 신선했다. 이윤종 작가가 방송을
하며 청취자에게 꼭 전하고 싶었다는 "일말의 진심"이
인터뷰와 책에서도 통한 것 같다. 저마다 다른 분야에서
활약하는 과학자들의 연구를 미리 학습하고 현장으로
찾아가 질문하고, 녹취록을 풀어내는 일이 만만치
않았을 것이다. "나의 얄팍함이 들킬까 전전긍긍했다"고
토로하지만, 그녀는 우아한 인문학적 질문으로 과학자와의
대화를 이끌었다. 흔히 노역이라 불리는 지루한 연구실
생활에서 빛나는 '이 순간'을 누구보다 잘 포착했다.

        나는 이 책을 읽는 동안 행복했다. 혼란스러운
생각이 정리되고 가슴에 따스함이 번져갔다. 이렇게
마음을 움직이는 힘은 무얼까? 이윤종 작가는 과학을
사랑하는 과학자들의 마음을 전했다고 했지만 내 눈에는
작가가 과학과 사랑에 빠진 듯 보였다. 마치 과학을
첫눈에 보고 반한 것처럼 수줍게 자신의 경험을 고백하는
것 같았다. 사랑 이야기는 늘 마음을 훈훈하게 만든다.
인터뷰의 내용을 가만 들여다보면 지질학, 물리학, 화학,
고생물학, 과학기술학의 이야기에서 자연, 아이들, 휴식,
생명, 놀이, 가치와 같은 일상의 언어를 발견할 수 있었다.
8명의 과학자 인터뷰가 모두 훌륭한데 그중에서 몇몇
과학자의 이야기를 소개한다.

갓 133   과 학 을 통 해 말 하 는 삶 의 아 름 다 움

내가 지질학자 우주선의 이야기에서 발견한 키워드는 '자연'이었다. 이윤종 작가는 퇴적암을 연구하는 우주선과 함께 삼척과 정선 일대의 야외조사에 동행하고, 탐사 기록이 빼곡한 연구실을 방문한다. 이곳에서 우주선은 태백과 영월, 정선, 삼척에 펼쳐진 퇴적암층, 망치로 전해지는 돌의 감각, 남극과 북극의 눈과 얼음뿐인 적막하고 고요한 대자연, 암석 속에 흔적을 남긴 비와 바람, 물, 공기, 미생물에 대해서 이야기한다. 그의 연구는 우리가 대자연의 일부라는 사실을 자각하고, 자연이 주는 경이로움과 벅찬 감동을 느끼게 해준다.

우주물리학자 황정아는 2023년 누리호에 탑재된 과학기술위성 1호인 '도요샛' 개발의 주역이다. 이윤종 작가는 도요샛이 발사된 지, 채 한 달도 안 된 시점에 한국천문연구원에서 황정아를 만난다. 도요샛의 이동 경로가 점멸하는 대형 스크린을 보면서 우주를 향한 인류의 도전과 한국 여성 과학자의 일과 삶을 연결하였다. 나는 그들의 이야기에서 '아이들'을 발견하였다. 황정아를 소개하는 화려한 이력에서 빠질 수 없는 것이 '세 아이의 엄마'라는 정체성이다. 황정아는 여성 과학자로 살아오면서 겪은 한국 사회의 불합리와 부조리를 아이들에게 물려주고 싶지 않다고 속내를 내비친다. 보이저호를 뒤따른 우주선 연구가 보이저호 이후('Beyond the Voyager')를 꿈꾸는 것처럼 미래 세대는 더 나은 세상으로, 그들만의 우주로 나아가야 한다고 말한다.

실험물리학자 고재현은 디스플레이 광학과 응집물질 분광학 등 빛의 응용 분야를 연구하고 있다. 페이스북에 구름, 무지개, 햇무리 등 다양한 하늘 사진을 올리고, 『빛의 핵심』 등 과학책을 쓰며 대중과 소통하는 과학자이기도 하다. 그와의 인터뷰는 집에서 캠퍼스까지 5km의 산책길을 걸으며 이뤄졌다. 매일 마주치는 일상의 풍경에서 자연이 만든 아름다운 현상을 과학의 언어로 들려주었다. 또한 고재현은 1년 동안 같은 장소에서 해가 지는 풍광을 카메라에 담아 공개했는데 아무도 같은 장소라는 것을 눈치채지 못했다고 한다. 하늘은 그렇게 날마다 새롭고 다채로운 얼굴을 보여준다. 나도 매일 해돋이를 관찰하면서 하루의 감각이 달라지는 것을 느꼈다. 하늘을 보는 것만으로도 삶은 달라질 수 있다. 과학은 대단한 것이 아니라 '일상' 속에 있었다.

고생물학자 이융남은 한국에서 1호 공룡박사로 불리는 세계적인 공룡학자이다. 50년 동안 수수께끼로 존재하던 데이노케이루스를 발견해서 2014년에 《네이처》에 연구 결과를 발표하였다. 2022년에는 펭귄처럼 물속에서 잠수하고 물고기를 잡는 '나토베나토르 폴리돈투스'를 발견하기도 했다. 이러한 새로운 공룡을 발견하는 과정도 드라마틱했지만 그보다 인상적인 것은 그의 공룡에 대한 각별한 사랑, 더 나아가 생명체에 대한

갓 135 과 학 을 통 해 말 하 는 삶 의 아 름 다 움

사랑이다. 이용남은 잠잘 때 공룡 꿈을 꾸고, "공룡 고기는 무슨 맛일까요?" 같은 농담에 마음의 상처를 받는다고 한다. "땅속에 묻힌 생명의 시간을 복원하는 고생물학자"인 그는 장구한 진화의 과정에서 생명체로 탄생해서 최선을 다해 살아온 흔적을 탐색하며, 모든 생명체의 삶과 죽음을 숭고하게 여긴다. 우리가 지금 여기에 살아있는 이 순간이 어떤 의미를 지니는지, 과학은 이렇게 삶의 신비를 알려준다.

인공위성 원격탐사 전문가 김현옥은 지구 상공 저궤도에서 인공위성이 전송한 고해상도의 지구 사진을 읽는 일을 한다. 항공우주연구원으로 "전 세계 재난재해 상황 파악 및 복구 지원을 위한 국제협력 사업"을 담당하고 있다. 인공위성에 탑재된 카메라로 지구 구석구석을 살펴보며 사람들의 행불행을 추적한다니, 오늘날 과학기술의 발전에 놀랄 수밖에 없다. 그런데 문제는 그 뛰어난 과학기술을 어떻게 사용하냐에 있다. 김현옥은 기후 위기, 세계적 불평등, 사회적 재난에 대응해서 우주개발 기술로 무엇을 할 것인지, 숙고하고 토론하며 사회적 합의를 모아가는 과정이 필요하다고 강조한다. "지구 관측 위성을 통해 우리의 삶을 나아지게 한다"는 그녀의 말에서 과학기술의 방향이 우리 이웃과 나를 향하고 있음에 안도감이 들었다.

사실 나는 이 원고를 한 달째 붙잡고 있었다.

뉴스 속보에 타들어 가는 가슴을 가라앉히고 글쓰기에
집중하기가 너무 힘들었다. 1월 15일 내란 수뇌가 체포되고,
그다음 날에 보기 드물게 선명하고 붉은 해가 떠올랐다.
나는 찬란한 태양 아래서 혼자서 자축했다. 그리고
끄적끄적 쓰다만 원고를 다시 읽어보았다. 『어떻게 과학을
사랑하지 않을 수 있겠어』에서 내가 뽑은 일상의 언어는 이
혼란한 시국에서 벗어나고픈, 작은 소망들이라는 생각이
들었다. 나는 이 책을 오독하고 있는지 모른다. 하지만
광화문 집회에 나오는 민주시민들이 "일상 회복"을 위해
시위에 나섰다고 하는 것처럼 나도 과학을 통해 삶의
아름다운 순간을 말하고, 이 순간을 지키기 위해 저항하는
마음으로 글을 썼다.

갓 137   과 학 을 통 해 말 하 는
삶 의 아 름 다 움

사 용 처
확 인 과
가 이 드 라 인 이
필 요

연구

인공지능,

윤신영 본지 편집위원.
연세대학교에서 도시공학과
생명공학을 공부했다. 과학
기자로 글을 쓰면서 4년간
《과학동아》편집장을 역임했으며,
생태환경전환잡지《바람과 물》
편집위원으로도 활동 중이다.
2009년 로드킬에 대한 기사로
미국과학진흥협회 과학언론상,
2020년 대한민국과학기자상을
받았다. 지은 책으로 『사라져 가는
것들의 안부를 묻다』와 『인류의
기원』(공저) 등이 있다.

갓

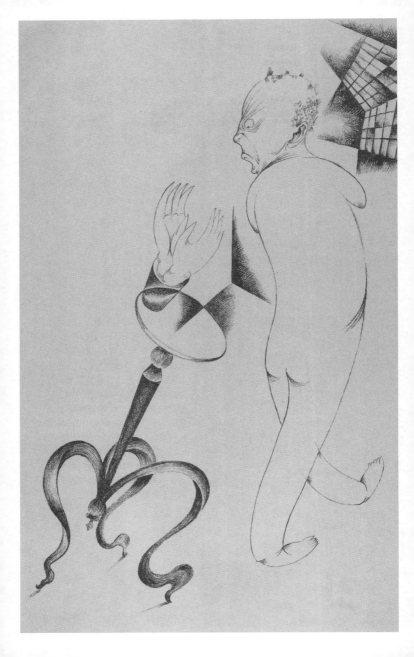

미국의 AI 개발 기업 오픈AI의 챗GPT(ChatGPT)로
대표되는 대화형 인공지능(AI)이 등장한 지 2년이 넘었다.
챗GPT는 범용 대형언어모델(LLM)로, 방대한 기존
문헌을 학습해 사용자의 질문에 자연스럽게 대답하도록
만들어졌다. 챗봇이라는, 사람에게 친숙한 형태로 서비스를
설계한 데다 기존에 시도됐던 챗봇에 비해 월등한 응답
성능을 선보여 큰 주목을 받았다. 사용자들은 단순한
대화부터 자료 조사, 글 윤문이나 번역 등 다양한 용도로
챗GPT를 사용하기 시작했다. 지난해 말, 챗GPT를 만든
미국 기업 오픈AI는 주간 이용자 수가 3억 명을 넘겼다고
밝혔다. 챗GPT가 연 LLM 시대는 구글 '제미나이',
앤스로픽 '클로드' 등 다양한 유사 서비스의 탄생으로
이어졌고, 최근에는 중국 '딥시크'의 등장으로도 연결됐다.
언론에서는 연일 성능 경주를 펼치는 LLM 출시 소식을
전하고 있다.

　　　　　과학계 역시 LLM의 등장을 주시하고 있다.
연구자들은 연구 효율을 높이는 도구로 LLM을 이용해도
되는지, 사용한다면 어떻게 해야 부작용은 줄이고
현명하게 사용하는 것인지 큰 관심을 두고 바라보고 있다.
하지만, 여전히 정답을 찾지 못한 채 큰 혼란을 느끼고
있다는 사실이 최근 다시 확인됐다. 연구자들은 LLM 등
AI가 향후 연구자에게 더 긍정적인 효과를 발휘할 것으로
본다며, 이용을 위한 적절한 가이드라인이 제시돼야

갓 141

연구 인공지능,
사용처 확인과
가이드라인이 필요

한다고 입을 모았다. LLM의 고질적 문제인 부정확한 사실(환각) 문제도 여전히 해결되지 않고 있다. 사실을 추구하는 연구 분야의 특성을 고려한 사용 방안도 확립될 필요가 있다.

전 세 계 연 구 자 들 의 인 공 지 능 활 용 실 태 는 ?

글로벌 학술출판사 존 와일리 & 선즈(John Wiley & Sons)는 2월 4일, 전 세계 연구자 약 5,000명을 대상으로 인공지능 활용 실태를 조사한 결과를 발표했다. 지난해 2024년 3~4월과 8~9월 두 차례에 걸쳐 이뤄진 조사였다. 이 결과에 따르면, 연구자의 상당수는 AI 도구를 들어봤지만 아직 적극적으로 사용하지 않고 있다. 조사 대상 연구자의 90%가량이 '챗GPT'를 들어봤지만, 구글 '제미나이' 등 다른 서비스의 인지도는 30%대 아래로 크게 떨어지는 것으로 나타났다. '클로드'나 영상 AI '미드저니' 등의 인지도는 10% 미만이었다.

　　　　업무에 활용하는 AI 서비스도 제한적이었다. 가장 활용 비율이 높은 것은 번역이나 논문 편집으로, 각각 40%와 38%가 사용한다고 답했다. 하지만 브레인스토밍 등 글쓰기 탐색 과정은 4분의 1 정도만이 사용한다고 답했고, 정보 처리나 데이터 분석, 시각화 역시 각각 24%와

19%, 15%로 소수만이 활용했다. 코드 작성에 활용한다는 답도 19%로 적었다. 자동화 분야에서는 최신 연구를 찾는 데 쓴다는 답이 24%였다. 참고문헌 관리나 논문 설계, 행정 등에 이용한다는 답은 10% 전후였다. 분야별로는 컴퓨터공학 분야는 활용도가 비교적 높았지만, 생명과학 분야는 저조했다.

연구자들이 AI 사용을 꺼리는 가장 큰 이유로는 모델 자체에 대한 우려(80%)가 꼽혔다. AI 사용이 연구 윤리에 저촉되는지와 함께, 결과의 정확성과 모델 작동 방식의 불투명성에 대한 우려가 컸다. 교육이나 지침이 부족해 어떻게 사용해야 할지 모른다는 답도 63%로 뒤를 이었다.

한편 연구자들이 AI에 거는 기대는 컸다. 연구자의 60%는 AI가 연구계에 긍정적인 영향을 미칠 것이라고 봤고, 44%는 자신의 커리어에 긍정적인 영향을 미칠 것이라고 답했다. 69%는 향후 2년 안에 연구자가 AI에 익숙해지는 일이 중요해질 것이라고 답했다. 연구자들은 학술 연구 맥락에서 이용하는 AI 활용 지침이 필요하며, 특히 잠재적인 오류와 함정을 피하는 데 도움을 받길 원한다고 답했다.

갓 143 연구 인공지능,
사용처 확인과
가이드라인이 필요

LLM의 고질병,
환각이라는 오류

연구자가 AI를 사용할 때 가장 우려하는 일 가운데 하나는 오류와 불확실성이다. 연구 윤리 저촉 여부나 사용 미숙 등의 장애는 연구자가 사용 여부를 결정하거나 극복하면 되는 문제지만, 오류는 LLM 자체의 특성이기에 연구자를 더 큰 혼란에 빠뜨린다.

LLM의 대표적 오류로는 생성형 AI의 고유한 특성이자 치명적 단점, 환각(hallucination) 현상이 꼽힌다. 환각은 요청한 질문에 대해 LLM이 부정확한 응답을 하거나 실제로 없는 내용을 제시하는 현상, 또는 존재하지 않는 출처를 언급하는 현상이다. 환각은 생성형 AI가 매우 유능한 '끝말잇기' 선수이기 때문에 벌어진다. LLM은 확률적으로 가장 그럴듯한 다음 언어를 선택하는 방식으로 대화를 이어가도록 설계돼 있다. 따라서 그럴듯하지만 사실이 아닌 문장도 생성할 가능성이 있다. 자세히 보지 않으면 사실과 구분하기 어려운 '아무 말'이다.

환각이 새로운 사실은 아니다. 챗GPT가 공개되면서 많은 사람들이 이미 환각을 경험했고 문제점을 지적했다. 생성형 AI 이전에는 자연어 처리 연구자들 사이에서 이미 '환각'이라는 말이 쓰이고 있었다. 생각보다 오래된 문제다.

환각이 일어나는 원인에는 여러 가지가 있다.

먼저 훈련 데이터의 부족으로, '모방적 허위'라 부르는 데이터에 허위가 포함된 경우도 이에 해당한다. 다른 하나는 데이터의 시간적 한계다. 과거의 데이터로 훈련했기에, 현재의 문제를 해결하는 과정에서 부족한 내용을 신뢰할 수 없는 답변으로 꾸며낸다. 그 외에 데이터의 편향, 부정확한 정보(노이즈)의 방해 등도 환각의 원인으로 꼽힌다.

수학적으로 반드시 환각이 나타날 수밖에 없다는 분석도 있다. 오픈AI와 미국 조지아공대 연구팀이 지난해 3월 공개한 논문에 따르면, 보정된 언어 모델에서 환각은 모델의 구조(아키텍처)나 훈련 데이터의 품질이나 크기와 상관없이 반드시 특정 비율 이상 발생할 수밖에 없다. '과적합(overfitting)' 문제도 있다. 모델이 지나치게 복잡하면 기존 데이터는 매우 세밀하게 설명할 수 있지만, 새로운 데이터를 예측할 땐 부정확해질 수밖에 없다.

환각은 단순한 오류나 부정확성이 아니며 잘못된 용어라는 비판이 있다. 2023년 4월, 칼 베르그스트롬 미국 워싱턴대 교수와 브랜든 오그부투 예일대 교수는 미국 메사추세츠공대(MIT)가 발행하는 과학 전문 웹진 《언다크》(Undark)에 발표한 글("챗GPT는 환각이 아니라 헛소리를 하고 있다")에서 LLM의 환각이 잘못된 용어라며 '헛소리'로 불러야 한다고 주장했다. 두 저자는 "환각은 인식의 오류를 겪을 때 일어나는 현상인데,

연구 인공지능,
사용처 확인과
가이드라인이 필요

AI가 이런 오류를 겪는 것은 아니다"라며 의도성이 다분한 거짓, '헛소리'(bullshit)라고 불러야 한다고 봤다.

저자가 이렇게 말하는 데엔 이유가 있다. "헛소리에는 진실을 의도적으로 무시하거나, 무시하도록 설득하려는 노력이 포함된다"고 보기 때문이다. LLM이 이런 의도를 갖고 있다고 보는 것은 아니지만, "모델을 만드는 데 적용된 디자인 철학과 결정의 직접적 결과"이기 때문에 의도성을 논할 수 있다고 보는 것이다. 이는 출력되는 결과의 진정성에 주의를 기울이지 않는 알고리즘의 제작자, 설계자의 의도에 주목해야 한다는 뜻이다. 종합하면 환각은 단순 실수나 오차가 아니라, 누군가의 의도와 편향이 반영된 의도적 잘못이 될 수 있다. 연구와 같이 엄밀한 사실을 다뤄야 하는 분야에서 사용해도 될지 의구심이 생길 수밖에 없다.

《더 버지》(The Verge) 부편집장 알렉스 크랜즈는 지난해에 "AI의 환각 문제를 더 이상 무시하지 말아야 한다"란 글에서 환각을 어쩔 수 없는, 또는 감수해야 할 불편함으로 여겨선 안 된다고 주장했다. 그는 "생성형 AI에게 자신에 대해 묻자 수염 난 남성이 나왔다"라며(그는 실제론 여성이다) "생성형 AI에 포함된 '실수할 수 있다, 중요한 정보를 확인하라'는 문구를, 가까운 미래에 우리의 삶 전체를 바꿀 도구에서 보고 싶지 않다"고 지적했다. 그는 "이런 도구를 만드는 사람들은 작은 경고를

넘어 문제를 해결하는 데엔 소극적인 것 같다"며, "나는
인간이 정확하지 않은 작업을 할 때, 정확하기를 기대하며
컴퓨터를 사용한다. 컴퓨터가 친구가 되기를 바라지
않는다"고 비판했다.

환각, 조심하면 되는 문제?

'챗봇의 이야기에 오류나 헛소리가 좀 섞여 있으면 어떤가,
적절히 확인하면 된다'고 생각할 수 있다. 하지만 상황이
좀 달라졌다. LLM이 구체적인 영역에서 서비스화되는
사례가 늘고 있어서다. 업무를 도와주고 검색이나 조사를
도와주는 것은 물론, 데이터 분석이나 논문 요약, 과학연구,
법률 자문에 응용되기 시작했다. 관련 서비스를 출시하는
기업도 늘어나고 있다. 하지만 아직 완전한 극복과는
거리가 있다.

법률이 대표적이다. 법률은 생성형 AI가 등장한
이후 가장 발 빠르게 AI를 적용해 왔다. 이미 여러 기업이
판례 검색부터 요약, 문서 초안 작성 등의 서비스를
지원하고 있다. 2024년 1월 기준으로 미국 100대 로펌 중
최소 41곳이 AI를 업무에 활용하고 있으며, 영국 변호사
1,200명 가운데 14%가 매주 AI를 사용하고 있다는 조사
결과도 있다. 한편 환각의 피해를 가장 떠들썩하게 입은
것도 이 분야다. 2023년 3월 미국 뉴욕에서 변호사가 법률

갓 147

연구 인공지능,
사용처 확인과
가이드라인이 필요

브리핑 당시 챗GPT가 만든 허구 사건을 인용했다 제재를 받은 사건이 대표적이다. 이후 법률 AI 서비스 기업은 환각의 피해를 줄이고 정확도를 높이기 위해 노력해 왔다. 최근 그 결과를 평가한 논문이 나왔는데, 결과는 부정적이었다.

미국 스탠퍼드대와 예일대 연구팀은 지난해 6월 6일, 여러 법률 AI 서비스의 신뢰성을 평가한 논문을 공개했다. 현재 법률 AI 기업은 검색증강생성(RAG)을 이용해 환각을 없애거나 피할 수 있다고 주장하고 있다. RAG는 사용자의 요청을 받으면 학습된 내용을 중심으로 답변을 생성하고, 이어 해당 분야(도메인)의 관련 문서를 검색해 출력물의 사실 여부를 검증한 뒤 최종 응답을 산출하는 방법이다.

하지만 연구팀은 기업들의 주장과 달리 환각을 줄이는 효과가 충분하지 않다고 밝혔다. 환각이 발생한 비율은 17~33%에 달했다. 챗GPT 등 범용 LLM을 법률 질문에 이용했을 때의 58~82%보다는 적지만, 여전히 상당히 많은 환각을 보이고 있다는 것이다. 유형으로는 답변이 불완전하거나 거짓 진술을 포함한 경우, 출처를 잘못 기재하는 경우가 많았다.

과학 분야 역시 LLM을 이용한 생성형 AI를 적극 활용하는 분야지만 오류 문제를 피할 수 없다. 단백질 구조 예측 AI인 구글 딥마인드의 '알파폴드3'가 대표적이다.

알파폴드는 2018년 처음 등장한 AI로, 이전의 AI 기반 단백질 구조 예측 프로그램을 월등히 앞서는 성능을 선보여 화제가 됐다. 이후로도 여러 차례 개량을 겪었고, 2024년 등장한 알파폴드3는 기존의 알파폴드1과 2와 달리 생성형 AI 기술을 접목해 체내 분자와의 결합까지 예측하는 탁월한 성능을 보여줬다.

하지만 환각이 문제였다. 계산 구조생물학자인 롤랜드 던브랙 미국 폭스체이스 암센터 연구원은 지난해 6월 24일 엑스(구 트위터)에서 "알파폴드3 모델을 이용해 BRCA1과 PALB2의 결합을 분석했는데 환각에 의한 결과가 많았다. 알파 헬릭스의 90% 가까이가 환각에 의한 잘못된 모델이었다"고 주장했다.

극복 방법은 없나
영국 옥스퍼드대 연구팀은 지난해 6월 20일, LLM의 환각을 또 다른 LLM을 이용해 줄일 수 있다는 연구 결과를 《네이처》에 공개했다. 연구팀은 환각을 정량화하고 제어하는 방법을 제안했다. 환각은 프롬프트와 관련이 없는, LLM 모델 내부의 요인 때문에 발생한다. 따라서 모델 내부에서 정량화하거나 예측할 방법은 현재로는 없고, 결과물을 평가하는 방법으로 이뤄져야 한다. 연구팀은 환각에 의한 답변이 불안정성이 높다는 것에 착안, 다른 LLM으로 LLM 답변의 불안정성을 확인하는 방법을

갓 149   연구 인공지능,
사용처 확인과
가이드라인이 필요

고안했다. 《네이처》는 "일종의 맞불 작전"이라고 평가했다.

그 외에도 모순되는 정보를 필터링하고 충실한 데이터세트를 구축하는 방법, 내부 가중치를 조정하는 방법, 추가 질문을 하는 방법, 답변을 분석해 피드백을 제공하는 방법, 외부 정보를 추가로 제공하는 방법(RAG) 등이 논의되고 있다. 추가적인 제약 조건을 넣어 관련 문서를 함께 출력하게 하거나, 결과물을 도출하는 과정에 대한 설명을 제공하는 등의 노력도 이뤄지고 있다. 다만 아직 이 분야 이론은 부족하고 연구는 초기 단계인 만큼, 당분간은 AI가 제안한 결과에 대해 사람이 검증하는 과정이 필요할 것으로 보인다.

생성형 AI가 보다 활약할 수 있는 분야를 다시 찾는 방법도 생각해 볼 수 있다. 사실을 다뤄야 하는 분야나 분석, 검색 분야가 아닌, 창작이나 기획과 관련한 분야를 생각해 볼 수 있다. 이 분야는 환각에서 자유로울 뿐만 아니라, 오히려 기존에 생각하지 못했던 색다른 결과물을 만드는 데 환각이 도움이 될 수 있다. 알파폴드3가 가능성을 보여준 단백질 구조 예측이나, 재료의 배합비를 찾는 등 통계에 의존하는 방식으로 미처 찾지 못했던 해결책을 찾는 분야가 대표적이다.

결국 연구에서 LLM을 사용할 때엔 정확도가 개선되길 기다리며, 무엇보다 LLM을 이용하기에 적합한 분야를 선정해 주의해서 활용하고, 과정을 공개하며 그 결과를 명확히 책임지는 것이 중요하다. 이를 위한 가이드라인을 만들고 제시하는 것이 연구기관과 학술 출판 분야의 새로운 과제다.

— Abramson, J., Adler, J., Dunger, J. et al. Accurate structure prediction of biomolecular interactions with AlphaFold 3. *Nature* 630, 493–500 (2024).
— Adam Tauman Kalai, Santosh S. Vempala. Calibrated Language Models Must Hallucinate, *arXiv*:2311.14648v3 [cs.CL] 2024.3.20.
— Allison Hrycyshyn, Helen Eassom. *ExplanAItions: An AI study by Wiley*, Wiley, 2025.2.
— Alex Crans. We have to stop ignoring AI's hallucination problem, *The Verge*, 2024.5.15.
— Carl T. Bergstrom, C. Brandon Ogbunu. Opinion: ChatGPT Isn't 'Hallucinating.' It's Bullshitting. *Undark*, 2023.4.6.
— Farquhar, S., Kossen, J., Kuhn, L. et al. Detecting hallucinations in large language models using semantic entropy. *Nature* 630, 625–630 (2024).
— Justin Henry, We Asked Every Am Law 100 Law Firm How They're Using Gen AI. Here's What We Learned. Law.com, 2024.1.29.
— LexisNexis. Lawyers cross into the new era of generative AI. (https://www.lexisnexis.co.uk/insights/lawyers-cross-into-the-new-era-of-generative-ai/index.html)
— Varun Magesh, et al. Hallucination-Free? Assessing the Reliability of Leading AI Legal Research Tools, *arXiv*:2405.20362 [cs.CL], 2024.5.30.

갓 151

연 구 인 공 지 능 ,
사 용 처 확 인 과
가 이 드 라 인 이 필 요

과 학 기 술
정 책   어 디 로
가 나

실리콘밸리 우군 얻은 트럼프 2.0

오철우 한밭대학교,
대구경북과학기술원 강사.
《한겨레》신문 과학전문기자였다.

갓 **153** 실리콘밸리 우군 얻은
트럼프 2.0 과학기술
정책 어디로 가나

돌아온 도널드 트럼프 미국 대통령이 임기 첫날인
2025년 1월 20일, 백악관을 통해 발표한 첫 번째 문건은
"트럼프 대통령의 미국 우선주의"였다. "미국을 다시
위대하게"(MAGA: Make America Great Again)라는
슬로건을 내건 트럼프 행정부의 정책 기조로서, 미국
국경 관리를 강화하고 미국 사회 보호를 우선하며 미국
안보, 무역, 외교, 기술을 우선하겠다는 정책을 다시
확인한 것이다. 이를 반영하는 행정명령과 조처들이
임기 첫날부터 쏟아졌다. 에너지 정책 전환, 환경 규제
완화, 국가 안보 강화에 관한 행정명령들은 전임 바이든
행정부와 단절하는 큰 변화를 예고한다. 트럼프의 정책은
발표될 때마다 연일 미국뿐 아니라 세계 언론의 주요
뉴스로 다뤄졌다. 이런 가운데 트럼프 2.0의 과학기술
정책을 보여주는 행정명령과 조처들도 잇따라 발표됐다.
1기 행정부 정책을 복원하는 것들도 있고, 2기 행정부에서
새롭게 추진되는 것들도 있다.

취 임 직 후 쏟 아 진
행 정 명 령 들

1기 행정부의 주요 정책을 복원하는 행정명령으로 임기를
시작한 트럼프 대통령은 취임하자마자 파리 기후변화 협정
탈퇴를 다시 선언했고, 또한 세계보건기구(WHO)에서
철수한다고 밝혔다. 미래의 팬데믹에 대비하기 위한

154

WHO 팬데믹 협정의 협상을 중단한다는 내용도 포함됐다. 《사이언스》는 "WHO와 세계 보건에 대한 대격변의 결정"이라며 우려가 현실이 됐다고 전했다. 다만 두 유엔 기구 탈퇴가 실제로 이행되기까지는 1년의 유예기간을 거쳐야 한다.

바이든 행정부가 의욕적으로 추진한 '다양성, 형평성, 포용성'(DEI) 정책도 "급진적이고 낭비적"이라는 이유로 종료한다는 행정명령이 같은 날 발표됐다. 과학 교육과 연구 분야의 경우에, DEI 정책은 소수민족, 성소수자, 장애인의 과학 활동 참여를 촉진하고 양성평등을 강화하는 방향으로 확산해 왔는데, 트럼프는 이 정책이 역차별을 부추기고 능력주의를 저해한다며 반대했다.

임기 첫날에 두 건의 비상사태가 선언됐다. 남부 국경 비상사태 선언과 더불어, 트럼프는 에너지 부족이 "국가 경제, 안보, 외교에 비상한 위협"이 된다며 국가 에너지 비상사태를 선언했는데, 이후에 새로운 석유와 가스 시추 및 생산 확대, 풍력과 태양광 같은 청정에너지 분야의 예산 축소 같은 조처들이 뒤따를 것으로 전망된다.

1기 행정부 시절과 두드러지게 달라진 점은 트럼프 대통령이 임기 시작부터 과학기술 정책에 적극적인 의지를 보였다는 점이다. 특히 인공지능에 큰 관심을 나타냈는데, 그는 둘째 날 '스타게이트'(Stargate)라는 5,000억 달러 규모의 초대형 인공지능 인프라 민간투자

실리콘밸리 우군 얻은 트럼프 2.0 과학기술 정책 어디로 가나

사업을 지원한다는 정책을 발표한 데 이어, 1월 23일에는 미국의 인공지능 리더십 강화를 위한 행정명령을 발표했다. 행정명령에서 트럼프 행정부는 "인공지능 혁신을 이루는 민간 부문의 역량을 저해하는" 바이든의 행정명령을 철회하고 미국의 인공지능 우위를 유지하고 강화하겠다고 밝혔다.

트럼프 1기 때에는 임기의 거의 절반 동안 없었던 대통령 과학기술 자문위원회(PCAST)도 운영된다. 1월 23일 백악관은 업계, 학계, 정부를 대표하는 과학기술인으로 최대 24명의 위원이 자문위에 참여한다고 발표했다. 백악관은 인공지능, 양자, 자율주행 시스템, 생명공학 등을 미국 기술 리더십의 기반 분야로 열거했다.

미국의 기술 리더십을 강조하는 정책 기조에는 실리콘밸리 거물들의 트럼프 지지가 큰 역할을 했다. 대통령 취임식장에서 구글 공동창업자인 세르게이 브린, 페이스북 창립자인 마크 저커버그, 테슬라 창업자인 일론 머스크를 비롯해, 아마존 창업자 제프 베이조스, 애플 최고경영자 팀 쿡, 알파벳 최고경영자 순다르 피차이 등이 트럼프 진영과 함께 앞자리에 나란히 선 모습은 실리콘밸리 기술 우파와 트럼프의 동맹을 상징적으로 보여주었다.

스 타 게 이 트 ,
딥 시 크 … 미 - 중
AI 냉 전 ?

트럼프가 취임 다음 날 야심 차게 인공지능 지원 정책으로
발표한 최대 5,000억 달러 규모의 스타게이트 프로젝트는
"미국의 인공지능 리더십을 확보하고 수십만 개의
미국 일자리를 창출하고 세계에 막대한 경제적 이익을
창출"하는 사업으로 추진된다. 이 투자법인의 재정 책임은
소프트뱅크가, 운영 책임은 오픈AI가 맡으며, 투자법인의
회장은 소프트뱅크 회장인 손정의가 맡는다. 또한 여기에
마이크로소프트, 엔비디아, 오라클 같은 대기업들이 기술
파트너로 참여한다. 초기 사업으로 인공지능 개발과
운영에 필요한 대규모 데이터센터를 텍사스 지역을 비롯해
10곳에 구축하는 사업이 시작됐다고 한다. 오픈AI는
스타게이트가 "미국의 재산업화를 지원할 뿐 아니라
미국과 동맹국의 국가 안보를 위한 전략적 역량을 제공할
것"이라고 설명했다. 한국 기업들도 기술 파트너로 사업
참여를 모색하고 있다.
　　　　　"미국과 동맹국의 전략적 역량"으로서
인공지능이 디지털 신냉전의 기술 경쟁 대상이 되고 있음은
이른바 '딥시크 충격' 이후 더욱 두드러졌다. 1월 20일
중국의 신생기업 딥시크(DeepSeek)가 공개한 인공지능
'딥시크-R1'은 인간의 추론과 유사한 능력을 보여주면서도,

실 리 콘 밸 리 우 군 얻 은
트 럼 프 2 . 0 과 학 기 술
정 책 어 디 로 가 나

미국 기업들의 대규모 투자에 비해 수십분의 1에 해당하는 적은 재원으로 개발됐다는 점에서 더욱 놀라움을 던져주었다. 딥시크-R1 출시 직후에 엔비디아를 비롯한 미국 기술기업의 주가가 한때 곤두박질치기도 했다.

딥시크 충격은 미국 기술기업계에 미국과 소련의 냉전 시대를 상징하는 '스푸트니크 충격'을 떠올리게 했다. 1957년 냉전 시기에 소련이 최초의 인공위성 스푸트니크를 지구 궤도에 올리는 기술 우위를 보임으로써 미국을 충격과 위기감에 빠뜨리고 미국-소련의 우주기술 경쟁을 촉발한 바 있다. 그 여파로 1958년 미국은 미항공우주국(NASA)과 국방부 고등연구계획국(ARPA, DARPA의 전신)을 신설했다. 물론 딥시크 충격과 스푸트니크 충격을 직접 비교하는 것은 확실히 과장된 것이지만, 그만큼 미국 경제와 기술계에 주는 충격은 큰 듯하다. 이런 분위기에서 인공지능 경쟁은 미국과 중국의 디지털 신냉전이라는 구도에서 가속화할 것으로 보인다.

우려스러운 점은 더 빠르고 더 강력한 인공지능을 선점하기 위한 디지털 신냉전이 가열할수록, 인공지능의 잠재적 위험을 규제하려는 국제사회의 노력은 위축될 수밖에 없다는 것이다. 더 강력한 인공지능 개발에 몰두하는 기술 경쟁에는 안전띠와 에어백과 같은 안전 기능을 무시하고 오로지 더 빠른 자동차 개발에 매진하는 것과 같은 위험이 뒤따를 것이라는 우려가 나오고 있다.

트럼프의 새로운
우군, 실리콘밸리
기술 우파

"저는 실리콘밸리가 중도 좌파라고 늘 생각했습니다.
지금은 상당한 중도 우파 그룹이 있다는 사실이 저에게는
놀랍습니다." 마이크로소프트 창업자이자 자선사업가인
빌 게이츠는 미국 일간《뉴욕타임스》와 한 인터뷰에서
대통령 선거를 거치며 커진 기술기업 우파 세력에
놀라움을 나타냈다.

빌 게이츠에게 놀라움을 준 실리콘밸리 기술
우파의 성장은 트럼프 2.0 행정부에 나타난 새로운
특징이자 현상이다. 실제로 전통적으로 열렬한 민주당
지지자였던 실리콘밸리 거물 여럿이 대통령 선거 기간에
공화당 후보 트럼프의 강력한 지지자로 깜짝 변신했다.

이들은 왜 트럼프를 지지하게 된 것일까? 그
대표적인 인물인 실리콘밸리 투자자 마크 앤드리슨(Marc
Andreessen)은《뉴욕타임스》의 대담 기사에서 오랫동안
이어진 민주당과 실리콘밸리 간의 이른바 "암묵적인
거래"가 특히 바이든 행정부 시절에 흔들리고 깨졌다고
털어놓았다. 클린턴과 오바마 대통령 재임 시절에 민주당은
신기술 개발을 지원하고 기업가 정신을 찬양하며 디지털
기술 규제를 완화하는 정책을 취해왔으며, 이에 화답하듯이
실리콘밸리 거물들은 자유주의와 진보적 과세, 복지 국가의

갓 159

실리콘밸리 우군 얻은
트럼프 2.0 과학기술
정책 어디로 가나

점진적 확대를 지지하고 민주당을 지지하며 사회적 존경을 받아왔다고 한다. 이런 관계는 바이든 재임 기간에 크게 흔들렸다. 인공지능 개발 규제, 소셜미디어에 대한 정치적 비판, 암호화폐 폐지. DEI 정책 확대는 실리콘밸리에 불만을 키웠다고 한다. 기술기업들은 민주당의 규제와 개입주의 방식에 소외감을 느꼈고 그러던 차에 미국 우선주의와 경제와 기술 리더십을 외치는 트럼프에 눈을 돌리게 됐다는 것이다.

미국 온라인 매체 《복스》(Vox)는 경제 성장 시기에는 잘 유지된 암묵적 거래의 동맹이 경제 상황이 나빠지고 독점적인 거대 기술기업에 대한 민주당 지지자들의 비판이 커지면서 흔들리기 시작했다고 분석했다. 기술기업 붐이 가라앉고 해고가 확산하고 금리가 상승한 2022년 이후에 실리콘밸리 거물들은 공화당 쪽으로 이동하기 시작했으며, 이런 상황에서 디지털 기술의 잠재적 위험에 대한 바이든 행정부와 민주당의 규제 강화 정책이 우경화를 촉진했다는 것이다. 다만, 《복스》는 독점적인 거대 기술기업에 대한 규제가 큰 대가를 치른 셈이지만 사회에 이로운 규제 정책이 그만한 가치를 지닌 것일 수 있다는 평가를 덧붙였다.

스탠포드대학 사이버정책센터의 베카 루이스 연구원은 트럼프와 기술 우파의 새로운 공생 관계를 다음과 같이 요약했다. "트럼프는 그들에게 영향력을 행사하고 그들은 트럼프에게 영향력을 행사한다. 그들은 서로에게서 힘을 얻을 수 있음을 안다. 트럼프는 실리콘밸리의 미래 지향적이고 차세대 혁신 요소에 자신의 이름을 붙이는 이득을 보며, 기술 거물들은 트럼프가 규제와 정부 개입에 관한 힘을 실제로 가지고 있음을 알고 있다."

기후와 환경 분야의 걱정스러운 전망

트럼프 행정부의 새로운 우군이자 정치적 자산이 되어 대통령 과학기술 자문위원회와 행정부에 참여하게 된 기술 우파 거물들은 미국 우선주의와 미국 기술 리더십을 위한 과학기술 정책에 큰 영향력을 발휘할 것이다. 무엇보다 인공지능, 양자, 우주탐사 분야의 지원 정책이 트럼프 행정부에서 활발해질 것으로 전망된다. 특히 스타게이트 프로젝트 사업과 NASA의 달과 화성 탐사 사업이 주목받고 있다. 《네이처》는 국가 안보와 군사적 용도로 인공지능을 사용하는 연방 활동이 강화될 것으로 내다봤다.

반면에 기후와 환경 분야의 전망은 어둡다. 《네이처》의 전망을 보면, 트럼프는 1기 시절과 마찬가지로 경제발전을 저해하는 온실가스와 환경오염 규제를 없애거나 완화하는 정책을 펼 것으로 보인다. 그는 취임 당일에 파리 기후협정 탈퇴를 선언한 바 있다. 환경보호청(EPA)의 인력과 예산이 얼마나 축소될지,

실리콘밸리 우군 얻은 트럼프 2.0 과학기술 정책 어디로 가나

청정에너지 확대를 위한 투자와 기술 개발 노력이 얼마나 후퇴할지에 관한 우려도 있다. 트럼프 2기 행정부에서 에너지부 장관은 화석연료 산업을 옹호해 온 크리스 라이트(Chris Wright)가 맡았다.

보건의료 분야에서도 여러 논란이 이어질 것으로 보인다. 조류인플루엔자 팬데믹 위험이 커지는 가운데, 보건복지부 장관에 백신 반대론자인 로버트 케네디 주니어가 임명돼 이런 논란을 예고한다. 그는 백신 무용론을 주장하며 전염병 연구를 중단하고 만성질환 연구에 집중해야 한다고 주장하는 대표적인 반과학적 인물로 비판받아 왔다. 27개 연구소와 센터를 운영하는 미국립보건원(NIH)의 구조개혁이 어떻게 전개될지도 주요한 관심사이다.

교육과 연구 분야에서 펼쳐지던 '다양성, 형평성, 포용성' 정책들은 철회되거나 후퇴할 것으로 보인다. 앞으로 이와 관련한 갈등과 논란이 이어질 것으로 전망된다. 또한 연방정부 지출을 대규모로 삭감하려는 트럼프 행정부의 정책 기조로 인해 기초연구 분야가 상당한 영향을 받을 것이라는 전망도 있다.

트럼프 대통령은 1기 행정부 시절에 기후과학 정책과 코로나19 백신 정책, 환경과 보건 정책에서 주류 과학계의 견해를 무시하거나 부정하는 정책을 펼쳐 반과학적이라는 비판을 받아왔다. 트럼프

2기 행정부에서도 미국 우선주의와 산업 규제 완화를 추진하면서 기후과학, 환경과 보건의료 분야에서 과학계와 충돌하는 정책들이 이어질 것으로 전망된다. 미국 과학자단체인 '책임 있는 과학자 연합'(UCS)은 트럼프 2기 취임에 즈음해 과학과 과학자를 공격하는 트럼프의 반과학에 대응하겠다고 벼르면서 "과학을 구하고 생명을 구하라"라는 캠페인에 나섰다.

갓 163

실리콘밸리 우군 얻은
트럼프 2.0 과학기술
정책 어디로 가나

기 후 학 자

" 2 0 2 5 년은 어 떨 까 ? "

들 과 의   수 다

신방실 KBS 기상전문기자. 연세대학교에서 수학과 대기과학을 공부했다. 미국 항공우주국(NASA)의 여러 연구소와 미 국립해양대기청(NOAA), 나로호·누리호 발사, 천리안2A 발사 현장을 취재했다. 2022년 여름 북극에 다녀와 시사기획 창 〈고장난 심장, 북극의 경고〉를 제작했다. 지은 책으로는 『되돌릴 수 없는 미래』, 『이토록 불편한 탄소』, 『탄소중립 어떻게 해결할까』, 『세상 모든 것이 과학이야!』, 『나만 잘 살면 왜 안 돼요?』 등이 있다. 2021년 '대한민국 과학기자상' 2022년 '한국방송기자대상' 과학 부문, 2023년 대한민국 녹색기후상 언론부문 우수상을 받았다. 미국 노스캐롤라이나대(UNC) 채플힐의 방문 연구원을 지냈다.

갓

2024년은 인류 역사상 가장 뜨거운 한 해였다. 2023년부터 누적된 열기가 식지 않았고 지구의 평균기온은 결국 산업화 대비 '1.5℃ 온난화' 선을 넘어버렸다. 세계기상기구(WMO)의 발표에 따르면 정확히 '1.55℃'였다. 전례 없는 온난화에도 불구하고 기후 위기를 걱정하고 경고하는 목소리는 묻히고 말았다. 지난해 12월을 기점으로 우리 사회에 정치적인 혼란이 계속되고 있기 때문이다. 한편에서는 인류가 멸망할 것처럼 호들갑이더니, '1.5℃ 온난화'가 돼도 별일 없다는 냉소적인 반응도 나왔다.

어수선하고 심란하기 그지없었지만, 기상전문기자로서 2024년을 그냥 보낼 수도, 2025년을 그냥 맞을 수도 없었다. 국내의 저명한 기후학자들과 함께 2024년의 기후를 되돌아보고 2025년을 전망하는 프로젝트를 기획했다. 참여자는 국종성 서울대학교 지구환경과학부 교수, 김백민 부경대학교 환경대기과학과 교수, 민승기 포스텍 환경공학부 교수, 정수종 서울대학교 환경대학원 교수다. 이들과의 대화를 정리했다.

2 0 2 4 년 가 장
기 억 에 남 는
순 간 은 ?

민승기 7월 10일이었어요. 시간당 100mm가 넘는 극한 호우가 여러 지점에서 관측됐어요. 이렇게 강한 비가 여러

곳에 오는 것은 정말 드문 일이에요. 먼 미래에나 찾아올
수 있을 거라고 생각했는데 지난해 현실이 되는 모습이
인상적이었습니다.

신방실 그날 기억이 나요. 이른 새벽에 어청도에서 시간당
146mm의 기록이 나왔죠. 우리나라에서 기상 관측을
시작한 이후 가장 강한 비였어요. 같은 날 군산, 익산, 서천
등지에서도 시간당 100mm가 넘는 폭우가 쏟아졌는데
2024년 여름은 전국 9곳에서 시간당 100mm 이상의 강수
기록이 나온 이례적인 해였어요.

국종성 저는 지난해 추석이 기억나요. 시골에 내려갔는데
에어컨을 틀지 않으면 안 될 정도로 더웠거든요. 지난해
우리나라의 9월 기온은 사상 최고로 높았어요. 보통
여름은 6~8월이라고 알고 있는데 이제 9월에도 에어컨
없이는 살아가기 힘든 시대가 됐어요. '뉴 노멀'을 체감할 수
있었던 상징적인 한 해였다고 생각해요.

김백민 지난해 11월 말에 찾아온 기습 폭설에 다들 놀라셨을
거예요. 이렇게 많은 눈이 늦가을에 퍼부은 적은 없었어요.
그 이면에는 우리나라 주변 바다의 고수온 현상이
있었어요. 여름철에 바다가 너무 뜨겁게 달궈졌기 때문에
그 열기가 가을에도 식지 않았어요. 북서쪽 찬 공기가

내려올 때 서해상에서 엄청난 양의 수증기가 공급됐고 수도권 폭설로 이어진 사례였습니다. 우리나라는 바다로 둘러싸여 있잖아요. 바다의 온난화는 폭염과 열대야, 태풍 발달에 영향을 주는 것뿐만 아니라 폭설도 불러와요. 뜨거운 바다가 사계절 내내 우리나라에 이상기후를 몰고 오는 건데요. 올해도 고수온 현상이 우리나라 기후에 가장 중요한 변수가 될 것으로 보입니다.

<u>정수종</u> 지난해 가장 기억에 남는 장면은 '벚꽃 없는 벚꽃 축제'였어요. 아마 올봄에도 되풀이될 수 있는 일이죠. 온난화로 개화 시기가 빨라져서 지자체들이 일찍 봄꽃 축제를 준비했는데 거꾸로 개화가 늦어지면서 "죽을 죄를 졌습니다."라는 플래카드가 걸리고 난리가 난 거예요. 유례없는 늦더위에 가을 단풍이 늦어지면서 전국의 단풍 명소를 찾는 발길도 크게 줄었어요. 온난화로 계절에 대혼란이 발생하고 생태계도 위기를 맞은 거죠.

'1.5도 온난화'
붕괴와
'티핑 포인트'에
대해서

<u>국종성</u> 2024년 처음으로 산업화 대비 '1.5도 온난화' 선을 넘었어요. 일부에서는 2023~2024년 엘니뇨 때문에

일시적으로 기온이 상승한 거라고 하는데 만약 올해도 1.5도 선을 넘게 된다면 더 이상 엘니뇨 핑계를 댈 수 없을 거예요. 우리 모두 '1.5도 온난화'의 세상에 살게 되는 거죠. '1.5도 온난화'를 넘어선다고 갑자기 기후에 '티핑 포인트'(임계점)가 찾아오는 건 아니에요. 어느 시점에 지구에 티핑 포인트가 올지는 굉장히 불확실하거든요. 그런 파국을 막기 위해 1.5도, 2도라는 마지노선을 정하고 탄소를 줄이는 노력을 하자고 약속한 거예요.

과거 기후를 보면 티핑 포인트에 가장 큰 영향을 준 것은 '대서양 자오선 역전 순환'(AMOC, Atlantic Meridional Overturning Circulation)이었어요. 지구의 기후를 조절하는 거대한 해류가 붕괴하며 1만 2,800년 전 '영거 드라이아스기'라고 부르는 갑작스러운 빙하기가 찾아오기도 했는데요. 최근 AMOC이 우리 예상보다 훨씬 빠르게 붕괴할 거라는 연구 결과가 많이 나오고 있어요. 탄소 중립을 조금만 늦춰도 티핑 포인트가 발생할 수 있다는 경고에 힘이 실리고 있어요.

티핑 포인트가 찾아오면 우리는 어떻게 해야 할까요? 미래의 기후를 예측할 수 있어야 대비도 가능해지는데요. 티핑 포인트는 매우 빠르게 발생하고 예측도 사실상 불가능합니다. 전 세계 기온이 어떻게 변할지 우리나라 상황은 어떨지 불확실하기 때문에 피해가 커질 수밖에 없어요. 이산화탄소 농도를 줄이더라도 한번

"2025년은 어떨까?"
기후학자들과의 수다

망가트린 기후를 원래대로 다시 되돌리기는 힘들어요.
최선의 방법은 현재의 기후를 더 이상 변화시키지 않는
것이라고 말씀드리고 싶어요.

2 0 2 5 년 도   폭 염 과
열 대 야 는   ' 디 폴 트 '

^{민승기} 올해도 지난해처럼 극한 폭염과 열대야가 올 것인지
예측하기 힘들지만 한 가지는 확실하게 말할 수 있어요.
기후 위기 시대 폭염은 피할 수 없는, 거의 해마다 겪어야
하는 재난이라고요. 우리나라에서 가장 심한 폭염이
찾아온 해는 1994년과 2018년이었어요. 그런데 2024년에
그 기록이 깨졌죠. 극한 폭염의 주기가 24년에서 6년으로
짧아진 거예요.

올해도 지난해처럼 심하거나 더 끔찍한
폭염이 올 거라고 장담할 수는 없어요. 그건 자연
변동성 때문이에요. 엘니뇨와 라니냐, 태평양 10년 주기
진동(PDO) 같은 변수들이 오래전부터 존재해 왔거든요.
인위적인 기후 변화에, 자연 변동까지 더해지며 대기와
바다의 온도를 높이거나 낮추는 작용을 하기 때문에
다가올 기후를 예상하는 일은 더 복잡해졌어요.

하지만 심플하게 생각해 볼 수 있어요. 한반도
주변 바다가 뜨거워지면 증발이 많아지고 수증기가
늘어나잖아요. 2024년의 길고 긴 열대야를 불러온

주범은 바로 수증기였어요. 수증기 자체가 열을 품는 온실가스여서 양의 되먹임 현상을 통해 폭염과 열대야를 강화한 거예요. 열대 바다에서도 대류 활동이 활발해져 중위도 티베트고기압과 북태평양 고기압을 강하게 발달시키는 역할을 했어요. 모두 한반도에 더위를 몰고 오는 뜨거운 고기압이죠. 올해도 바다의 열기가 식지 않는다면 똑같은 일이 반복될 수 있어요.

종 잡 을   수   없 는
날 씨 가   일 상 으 로 ,
우 리 의   대 응 은 ?

김백민 이상기후가 더 이상 이상하지 않은 시대에 우리는 살고 있어요. 그 원동력은 저도 펄펄 끓는 바다라고 생각해요. 바다가 뜨거워지면 태풍의 연료가 많다고 볼 수 있어요. 해수면의 열기는 폭염과 열대야를 강화할 뿐만 아니라 태풍의 에너지로 전환될 수 있는데요. 한반도 주변 바다의 고온 현상은 앞으로 슈퍼태풍이 우리나라에 영향을 줄 수 있다는 분명한 시그널이 되고 있어요.

우리가 간과해서는 안 되는 사실이 있어요. 기후가 전반적으로 따뜻해지고 있지만 가장 큰 특징은 변동성이거든요. 기후예측모델은 평균적인 상태를 내다볼 수는 있지만 변동성에 대한 예측성은 떨어져요. 그런데 현실은 어떤가요. 한 계절, 아니 한 달 사이에도 이상한파와

갓 171   " 2 0 2 5 년 은   어 떨 까 ? "
기 후 학 자 들 과 의   수 다

고온이 번갈아 나타나죠. 종잡을 수 없는 날씨가 일상이 되는 게 지금 기후의 가장 중요한 특징입니다.

<u>정수종</u> 2024년 '1.5도 온난화'를 돌파했다는 것은 우리가 생각한 것보다 기후 변화의 속도가 훨씬 빠르다는 것을 의미합니다. 대부분의 국가에서 탄소 중립의 시점을 2050년이나 2060년으로 잡고 있는데 말이죠. 탄소 중립을 위한 관심과 행동이 그만큼 부족했다는 뜻이고 이제는 진짜로 뭔가를 해야 한다는 의미로 받아들여야 해요.

　올해는 기후 관련 규제들이 본격적으로 작동하는 해가 될 거예요. 유럽이나 미국을 중심으로 비재무지표인 환경정보(ESG) 관련 공시를 의무화하는 규제가 가시화되고 있어요. 그러나 우리의 대응은 느리고 미흡하기만 하죠. 미국에선 트럼프 대통령이 취임과 동시에 파리협정 탈퇴에 다시 서명했어요. 역설적으로 자국 산업 보호를 위해 더 강력한 탄소 장벽을 세울 수 있어서 철저하게 준비해야 해요.

　우리나라는 전 세계적으로 기온이나 해수면 온도가 가장 빠르게 올라가는 지역이에요. 탄소 감축을 위해 더 적극적으로 노력해야 한다는 의미예요. 정부는 앞으로 아열대기후에서 어떻게 살아갈 것인지 고민해야 해요. 대비를 못 하면 사회적 불평등이 커질 수밖에 없어요. 취약성이 커지는 지역이나 계층은 더 큰 피해를 보게 될

거예요. 국가가 적극적으로 나서야 하는데 재생에너지를
비롯해 탄소 중립 정책이 정부가 바뀔 때마다 달라지는
것도 문제예요. 기후 위기 대응은 사회, 정치적 영향 없이
일관적이고 지속적으로 추진돼야 한다고 생각합니다.

갓 173 "2025년은 어떨까?"
기후학자들과의 수다

foun
tion

터

nda

'터'는 사건의 조건이고 바탕입니다. 과학도 사람들
사이의 관계와 물리적 조건이라는 '터' 위에서 일어납니다.
에피는 과학의 주변과 곁이 되어주는 문화 현상에 관심을
가지고 알리고 있습니다. 이런 내용을 담은 글을 '터'로
묶었습니다. '터(Foundation)'는 아이작 아시모프의 소설
제목이기도 합니다.

"저는 21세기 지식경제강국 건설의 기초가 될 우리 과학기술의 발전을 위해 다음의 몇 가지를 제창하는 바입니다.

첫째, 과학기술에 대한 국민적 이해와 활용도를 한차원 높여 '과학의 생활화'를 정착시키는 일입니다.

둘째, 과학기술인 여러분이 연구개발에 전념할 수 있는 여건을 마련하는 일입니다.

셋째, 우수한 해외인력을 적극적으로 받아들이는 과학기술의 국제화 체제를 더 한층 강화하는 일입니다.

넷째, 유망기술의 전략적 선택과 개발의 지속적 추진입니다.

끝으로, 여성 과학기술인을 보다 적극적으로 육성하는 일입니다."

제34회 과학의 날 기념식 연설
2001년 4월 21일

현 대 미 술 ,
과 학 을 분 광 하 다

디 지 털
기 술 의
오 염 을
감 각 하 기

김민아 미디어 아티스트이자 예술-연구자로서 한국과
네덜란드를 오가며 작업을 발표했다. 현재는 서울을 기반으로
활동하고 있다. 디지털 기술 발전의 뒤에 남겨지는 것들에
관심이 많고, 디지털의 잔해와 인간 삶이 공존할 방법을
예술의 장을 통해 연구하고 있다. 디지털 기술을 이루는 기반
시설들과 환경의 관계에 대한 예술-연구를 진행 중이며,
최근에는 환경적으로 지속 가능한 예술 창작 및 수행 방법을
개발하는 데 관심이 많다. 설치, 영상, 웹, 사운드, 퍼포먼스,
워크숍, 진(zine) 등 다양한 매체와 방식으로 작업을 발표한다.
비타미나(Vitamina)라는 이름으로 사운드 작업을 하며,
다양한 소리들을 실험하며 함께 놀고 배우는 데 관심 있는
여성과 퀴어를 위한 커뮤니티 '레지스터 코리아(Re#sister
Korea)' 활동을 2022년부터 이끌어 오고 있다.
https://mina-vitamina.net/

터

'디지털 기술'이라는 단어를 보거나 들었을 때 어떤 이미지가 떠오르는가? 인터넷 검색창에 디지털 기술이라는 단어를 검색하면 흔히 나타나는 이미지는 이런 것들일것이다. 가상현실이나 메타버스처럼 AI 기술로 구현된 가상 세계, 손가락이나 음성 등으로 조종 가능한 시스템, 인터넷화된 사물들로 둘러싸인 일상 공간, 나아가 디지털 기술화된 인간인 사이보그와 다양한 형태의 로봇들까지. 하지만 나는 매끈한 이미지와 첨단 기술이 결합한 형태나 비물질적인 미래 세계와는 거리가 멀어 보이는 디지털 기술에 대해 이야기해 보려 한다.

　　　20년 전에 출시된 휴대전화기나 VCR(비디오테이프 녹화기) 같은 것들은 지금의 기준으로 보면 오래되고 낡아 쓰는 사람이 거의 없겠지만, 이들 역시 디지털 기술로 만들어진 엄연한 디지털 기기이다. 쓰레기 집하장에 모여 있는 폐전자기기들 역시 과거 디지털 기술의 산물이며, 현재의 최신 디지털 장치 역시 언젠가는 집하장에 버려지는 전자폐기물이 될 것이다. 오작동하고, 고장 나고, 오래되고, 지저분하고, 매끈한 표면이 벗겨져 그 안의 회로와 부품이 적나라하게 드러나는 디지털 기술의 잔해들은 늘 우리 주변에서 디지털 기술의 발전과 함께 존재한다.

디지털 기술이 발전해 더욱 변화될 인류의 미래는

과연 허공에서 손가락만 움직여 모든 시스템을
작동시킬 수 있는 비물질적이고 매끄러운(seamless)
세계일까? '디지털(digital)'의 사전적 의미는 다음과
같다. "여러 자료를 유한한 자릿수의 숫자로 나타내는
방식"(표준국어대사전). 이렇게 0과 1의 숫자로만 나타낸
정보체계로 이루어진 기술적 산물들은 결국 이 정보체계를
연산하고, 저장할 수 있는 물리적인 연산장치와 드라이브,
그리고 이 장치들을 작동시킬 전력 같은 에너지원이
필요하다. 우리는 수많은 디지털 정보들이 눈에 보이지
않고 물리적으로 존재하지 않아 보이는 어떤 가상의
공간에 (개념적으로) 저장되어 있으리라고 쉽게 믿는다.
하지만 나는 좀 더 다양한 각도로 디지털 기술을 바라보며
기술의 표면 뒤에서 작동하는 물리적인 기반 시스템과
비물질적으로 보이지만 실제로는 물질적인 디지털 기술이
만들어내는 잔여물들에 대해 더 이야기해 보고 싶다.
        디지털 기술은 발전을 거듭할수록 더 많은
물리적 기반 시설을 필요로 했다. 눈에 보이거나 손에
잡히지 않고 공기 중으로 전달되는 듯 보이는 인터넷은
실제로는 통신과 전력 공급을 가능하게 하는 수신기와
전선 등의 기반 시설 및 장치들을 통해 물리적으로
전달되고 작동한다. 특히 전선, 즉 케이블은 건물과
기둥 속, 땅 밑(지중), 그리고 바닷속을 가로지르며 전
세계적으로 연결되어 네트워크(망)를 가능하게 한다. 다음

터 181   디 지 털   기 술 의
                오 염 을   감 각 하 기

사진은 몇 년 전 한국 어느 지역의 신축 아파트 단지 시공 현장을 멀리서 찍은 사진인데, 이곳에 보이는 형형색색의 배관과(pipes) 전선(cables)들은 이 아파트의 건물 안 바닥과 벽 내부로 들어가게 된다. 이 아파트 내부에는 디지털 통신을 위한 전선뿐만 아니라 가스나 수도, 전기 등 여러 용도의 배관과 전선들이 있다.

지구에는 수많은 케이블이 건물 안팎, 한 국가 내 지역들뿐만 아니라 대륙과 대륙까지 (물리적으로) 연결되어 있다. 온라인 '해저케이블 지도'를 보면, 전 지구적으로 원거리의 온라인 네트워크를 가능하게 하는 주요 장치인 해저케이블이 지표면 가장 낮은 곳을 따라 촘촘히 연결되어 지구 표면을 감싸고 있는 것을 볼 수 있다.

해저 케이블 내부에 들어 있는 아주 가늘고 투명한 광섬유는 정보나 신호를 빛의 속도로 전달한다. 이 광섬유다발을 해저의 생물이나 폐기물, 인간의 간섭과 같은 위험 요소로부터 보호하기 위해 두껍게 여러 겹의 막을 덮어 완성한 거대하고 무거운 해저 케이블은 우리 눈에 보이지 않는 곳에서 인터넷과 같은 디지털 기술을 작동시킬 수 있다. 이렇듯 거대하고 수많은 물리적인 기반 시설들에 의해 작동하는 디지털 기술은 앞으로도 이러한 기반 시설로부터 완전히 독립적으로 작동하기는 어려울 것이다. 한 예로 우리의 디지털 미래를 가속화하는 데 앞장서는 세계적인 IT 기업인 메타와 구글 같은 곳들이

182

아파트 시공 현장 (2021) / 사진: 김민아

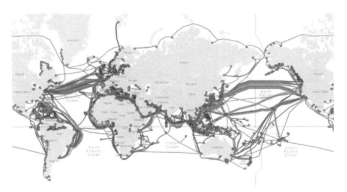

해저케이블 지도, www.submarinecablemap.com (2025.01.26 갈무리)

터 183　디지털 기술의
오염을 감각하기

자체적으로 사용할 해저 케이블과 데이터 센터를 더 가열차게 세계 이곳저곳에 증설하고 있는 것을 보면, 디지털 기술이 더욱 발전하고 더 만연할 미래는 물리적인 기반 시설들의 확충과 함께하리라는 것을 짐작할 수 있다.

나는 앞서 언급한 것과 같은 디지털 기술의 기반 시설과 잔여물, 폐기물 그리고 이들의 환경적 영향 등을 예술의 장을 통해 연구하고 있다. 특히 나의 예술 활동은 어떤 주제를 연구하는 과정 그 자체, 그리고 이 주제에 대해 사람들과 함께 이야기 나누고 그로부터 이어지는 활동을 만들어 나가는 일련의 과정 자체가 주를 이룬다. 그래서 어떤 예술적인 작품(piece)을 만들어 전시하는 것보다는 디지털 기술과 우리 환경, 그리고 사회의 사각지대에서 벌어지는 문제들을 탐구하고 이를 사람들과 나누며 어떤 활동을 취해보는 공동체적인 행위가 내가 예술가로서 지향하고 앞으로도 지속하고 싶은 예술 활동이다.

지난 몇 년간 나는 디지털 기술 발전 과정에서 발견할 수 있는 (환경)오염의 현상들을 발견하고, 이에 대응할 방법들을 실험하고 개발해 보는 활동을 하고 있다. 단지 어떤 문제에 대한 정보를 듣거나 보고 지나가 버리는 것은 오늘날과 같은 정보과다 공급의 시대에 그다지 효율적이거나 인상적인 문제 대응 행위가 되지 않는다고 생각하기에, 나는 '감각하기'라는 표현을 사용하여 문제를 좀 더 가까이 데려와 다각도로 인지해 보기를 제안한다.

이런 접근에서 소개하고 싶은 첫 번째 활동은 내가 진행해
온 '전자폐기물로 악기 만들기' 워크숍이다.
　　　　　나는 이 워크숍을 통해 전자 쓰레기를
재활용이나 재사용과 같이 원래 전자기기가 가지고 있던
경제적인 사용 가치를 다시 되돌리려는 방법이 아니라
'새로운 가치 발견하기'에 초점을 두려 했다. 쓰레기나
폐기물처럼 이미 사용 가치를 잃어버린 물건이, 특히
전자폐기물처럼 분해되거나 완전히 자연으로 돌아가기
복잡한 사물이 어떻게 하면 사람들에게 다시 가치
있는 무언가가 될 수 있을지 고민했고, 나는 이것을
악기로 탈바꿈함으로써 가지고 놀(연주할) 수 있다는
가치를 부여할 수 있겠다고 생각했다. '놀다'라는 개념은
성과주의적이고 경쟁적인 현대사회에서 주류 가치에
반대되는 것처럼 보이지만, 놀이는 인류에게 필수적인
활동이다. 비록 생산성이나 유용성 혹은 기능성 같은
기준으로는 평가할 수 없지만 인류의 삶을 윤택하고
충만하게 만드는 가치 중 하나는 유희적 활동, 즉 놀이였다.
이런 측면에서 나는 놀이라는 것은 예술 활동과도 맥락이
닿아있다고 생각했다. 우리가 예술을 통해 그리고 놀이의
전략을 통해 현실 세계의 심각하고 어려운 문제들을 좀 더
다양한 각도로 바라보며 우리 삶 가까이 가져올 수 있지
않을까 생각했다.
　　　　　전자폐기물이 물리적으로 만지고 볼 수 있는

터 185

디 지 털　기 술 의
오 염 을　감 각 하 기

디지털 기술의 오염물이라면, '데이터 탄소발자국'은 만지거나 볼 순 없지만 급격히 증가하는 가운데 중대한 환경적 영향을 끼치는 오염원이다. 우리가 매일 만들고 주고받는 수많은 데이터는 거대한 데이터 센터에 저장되어 있다. 데이터를 안정적으로 보존하기 위해 데이터 센터는 24시간 내내 많은 전력을 사용하면서 컴퓨터들이 작동하며 발생시키는 열기를 식히고 안정적인 온도와 습도를 유지한다.

이렇게 높은 에너지 의존성 때문에 대부분의 데이터센터들이 화석연료 기반의 에너지 공급에 의존하고 있다. 환경적 악영향을 줄이고 100% 재생에너지를 사용하는 데이터센터들도 하나씩 늘어나고는 있지만 아직 그 절대적인 수는 적다. 그러므로 에너지전환의 속도보다 새로운 대규모 데이터센터 건립의 속도가 더욱 빠르게 일어나는 현실에서는 결국 데이터센터가 많아지는 만큼 더 막대한 탄소배출이 일어날 수밖에 없는 상황이 되어버린다.

이러한 맥락을 이해하며 디지털 기술의 오염을 '데이터 탄소 발자국'의 형태로 감각해 보자는 취지로 나는 '데이터 클렌징 워크숍'을 진행했다. 디지털 데이터가 수없이 생성되고 저장되며 발생하는 탄소 발자국의 연결고리를 돌아보고 개개인이 직접 본인의 탄소 발자국을 지우고 씻어내며 '디지털 디톡스(digital detox)'를 실천해 보는 것이 이 워크숍의 주 내용이다. 워크숍이 진행되는 동안 데이터와 디지털 탄소 발자국에 대한 이야기를 참여자들과 함께 나누고, 간단한 요가와 스트레칭 동작을 통해 마음과 몸을 해독(detox)한 후, 실제로 워크숍 참여자들이 각자의 노트북, 휴대폰, 클라우드 저장소 등에 쌓여 있는 데이터 더미를 정리하고 비워내는 활동을 하게 된다. 비록 개인의 데이터 클렌징 활동이 실제 탄소 발자국을 줄이는 데 큰 도움이 되지 않을지라도, 나의 일상적 활동이 어떻게 디지털 환경 오염에 영향을 미치는지 되돌아보면서 잠시 비움과 쉼을 실천해 보는 시간을 가져보는 것이 이 워크숍의 목적이다.

　　이처럼 디지털 기술이 발전하는 사회에서 간과되거나 잘 보이지 않게 가려진 문제들을 발견하고, 예술 활동으로 이에 대한 질문을 던지며 다른 사람들과 함께 새로운 활동을 시도해 보는 것이 내가 예술가로서 추구하고 또 해오고 있는 작업 방식이다. 앞으로도 다양한 방식으로 또 다른 디지털 기술의 오염들을 감각하는 비판적이면서도 재미있는 활동들을 개발하고 나누려고 한다. 최근 나의 관심사는 예술 창작 및 향유의 모든 과정에서 탄소배출을 최소화하는 에너지 자립적인 방식을 실험해 보는 것이다. 현재 우리의 일상뿐만 아니라 예술의 창작-전시-유통 방식 역시 매우 에너지 의존적이며 자원과 에너지를 과소비하거나 낭비하며 환경 오염을 가중시키는

디 지 털 　 기 술 의
오 염 을 　 감 각 하 기

'전자폐기물로 나만의 전자악기 만들기' 워크숍 현장 사진-
서울문화예술교육센터 용산(서울문화재단), 2024.07.26-27.

데이터 클렌징 가이드 북 (2020), 청년예술청 SAPY(서울문화재단) 지원

방식들에 쉽게 의존하고 있다. 많은 전력 에너지를 쓰며
무거운 컴퓨터 프로그램을 사용하여 만들어지는 예술들,
전시를 위해 수많은 재료를 사용하여 거대하고 압도적인
형태의 조형물이 제작되었다가 전시 후에 그저 버려지는
구조물과 작품들, 혹은 작품 자체의 생성, 유지, 보수에
수많은 에너지와 자원의 투입이 필요한 예술들이 나에게는
그 자체로 디지털 기술의 오염이 너무나 생생히 느껴지는
것들이다.

　　　　　나는 주제 자체의 '환경'과 '지속 가능성'을 넘어
창작의 방법과 과정에서 보다 더 환경적인 지속 가능성을
지향하는 시도로서, 디지털-기술-예술의 오염에 대응하여
재미있고 의미 있는 대안적 실천과 실험들을 시도해
보려고 한다. 최소한의 환경적 영향을 끼치며 좀 더 작은
단위로, 낭비하지 않는 방식으로 디지털 기술 발전 사회를
살아가는 방식은 예술의 창작과 향유에도 적용될 수
있다. 그런 차원에서, 예술 활동으로서의 '디지털 기술의
오염을 감각하기'는 환경적으로 지속 가능한 예술을
함께 고민하며 만들고, 나누고, 또 향유하자고 동료들과
관객들을 초대하는 행위이기도 하다.

터 **189**　　디 지 털　기 술 의
　　　　　　오 염 을　감 각 하 기

음 악 , 그 리 고

#5 침묵은 음악인가, 소리인가

장재호 서울대학교에서 작곡을,
네덜란드 왕립음악원에서
전자음악을 전공했다. 미디어아트
공연 그룹 태싯그룹(Tacit Group)의
공동창립자로, 국내외에서 활발한
창작 활동을 하고 있다. 현재
한국예술종합학교 음악테크놀로지과
교수로 재직 중이다.

1 . 들 어 가 며

침묵은 음악인가, 소리인가? 이 질문은 굉장히 엉뚱하게
들릴 수 있다. 우리가 상식적으로 알고 있는 바에 따르면
침묵은 소리도 아니고, 음악도 아니다. 그러나 20세기의
예술사에서 침묵은 단순한 무(無)가 아니라, 적극적인
의미를 가진 개념으로 발전하였다.

미국의 작곡가 존 케이지(John Cage,
1912년~1992년)의 1952년 작품 〈4'33"〉는 연주자가
무대에 올라 4분 33초 동안 아무것도 연주하지 않고
침묵한 채 있다가 퇴장하는 작품이다. 이 작품은 3악장으로
이루어져 있는데, 악보의 각 악장에는 침묵(이탈리아어로
'tacet')이라고 쓰여 있다. 초연은 뉴욕의 한 콘서트홀에서
피아니스트 데이비드 튜더(David Tudor)에 의해
이루어졌다. 연주자는 각 악장의 시작과 끝을 피아노
건반의 뚜껑을 열고 닫음으로 표시했다. 당시 이 작품을
접한 관객들은 큰 충격을 받았음에 틀림없다.

일반적으로 음악은 음, 리듬, 형식 등의 요소로
구성되지만, 존 케이지는 이 개념을 완전히 뒤집었다. 그는
'침묵조차 음악이 될 수 있는가?'라는 도발적인 질문을
던졌고, 이 질문은 오늘날까지도 예술과 음악을 논의하는
데 있어 중요한 화두가 되고 있다.

침묵으로만 이루어진 이 작품은 어떤 의미가
있는 걸까? 왜 이 작품은 음악사에 있어 중요하게

여겨질까? 이것을 음악이라고 부를 수 있는 걸까?

존 케이지의 작품뿐 아니라 20세기의 많은 예술은 대체로
비슷한 질문을 하게 만든다. 이 시기에 만들어진 많은 예술
작품들이 즐기거나 이해하기가 쉽지 않음에도 불구하고,
예술사에 있어 중요하게 다뤄지기 때문이다. 그런데,
이러한 질문에 반드시 정답을 찾을 필요도, 찾을 수도
없지만, 몇 가지 단서를 알면 이 시대의 예술 작품들이
흥미로워진다. 그 단서는 작품 자체보다는 그 작품을
둘러싼 여러 가지 이야기들을 아는 것부터 시작할 수 있다.

2. 침묵은 귀를 연다

"어디에 있든지, 우리가 듣는 것은 대부분
잡음이다. 잡음을 무시하면 그것은 우리를
괴롭힌다. 그러나 잡음을 잘 들어보면, 우리는
그 매력을 발견한다."

존 케이지가 그의 책 『Silence』(Wesleyan University
Press, 1961)에서 말한 것처럼 잡음을 '듣고 싶지 않은
소리' 혹은 '인식할 수 없는 소리'로 정의한다면, 우리는
수많은 잡음을 들으며 산다.
사람은 태어날 때부터 다양한 소리를 듣지만,
시간이 지나면서 특정한 소리에만 집중하는 습관을

#5 침묵은
음악인가, 소리인가

갖는다. 갓 태어난 아기가 듣는 모든 소리는 낯선 소리기 때문에 처음에는 모두 잡음으로 받아들인다. 하지만 반복해서 듣다 보면 특정한 패턴을 인식하게 되고, 결국 언어를 배우고 주변 환경을 이해하는 능력을 키우면서 잡음이 아닌 소리로 받아들이게 된다.

그런데 성인이 되면서 우리는 귀를 여는 것이 아니라 오히려 닫는다. 주변의 소리를 걸러내고 필요한 정보만 선택적으로 듣는 '칵테일파티 효과'(수많은 소리가 시끄럽게 들리는 파티장 같은 환경에서도 다른 사람과 대화할 수 있도록 원하는 소리만 받아들이는 뇌의 특성)가 심화하기 때문이다. 바쁜 일상에서 우리는 더 이상 소리에 대해 깊이 인식하지 않으며, 자연스럽게 들리는 잡음이나 주변 환경의 소리를 무의미한 것으로 간주하는 경우가 많다.

수많은 소리 중에서 오히려 낯선 소리에 집중을 해보면 어떨까. 존 케이지는 이 '잡음'에 관심을 가질 때 그 속에 있는 매력을 발견한다고 강조한다. 아기 때 수많은 잡음을 받아들인 것처럼, 어른이 되고서도 잡음에 관심을 둔다면 주변에서 들리는 흥미로운 소리들을 발견할 수 있다.[1]

1 사실 존 케이지가 침묵을 강조한 것은 선불교의 영향이 컸다. 일찍이 선불교에 관심을 가졌던 그는 컬럼비아 대학에서 선불교 강의를 듣거나, 일본을 몇 차례 방문하기도 했다. 그는 침묵을 음향적으로 접근하지 않고 '마음'으로 접근했다고 기록한다. 그에게 침묵은 '의도'를 없애는 방식이었다. 나는 침묵에

19세기 후반에서 20세기로 넘어오면서 서양음악
작곡가들은 새로운 소리에 대해 탐구하기 시작했다. 지난
연재에서 자세히 이야기했듯, 새로운 소리를 탐구하는
것은 음악의 다양한 표현을 만들기 위한 방법의 하나이기
때문이다. 전통적인 악기의 확장을 넘어, 새로운 악기와
새로운 연주법이 등장했고, 타악기의 역할이 강화되면서
음악의 음색도 더욱 다양해졌다. 이러한 시대 상황은 존
케이지의 〈4'33"〉를 이해하기 위한 중요한 열쇠이다.

앞서 이야기한 존 케이지의 책에 이런 말도 있다.

> "시속 80km로 달리는 트럭의 소리. 송전소의
> 전기 소리. 빗소리. 우리는 이 소리들을 사로잡아
> 조정하고 싶다. 사운드 효과로서가 아니라
> 악기로서 말이다."

이 말은 존 케이지가 1937년 한 강의에서 이야기한
것이다. 그가 이런 생각을 한 20세기 초반은 작곡가들이
새로운 악기를 갈망하고 있던 시기였다. 존 케이지는 다른

대한 그의 관점을 음악적인 관점으로 접근하지만 상당히 철학적인 그의 접근에
대해 선불교와 존 케이지의 관계를 파악하는 것이 그의 작품을 이해하기 위한
중요한 단서가 될 수 있다.

터 195　　　#5 침묵은
음 악 인 가 , 소 리 인 가

작곡가들보다 한 단계 더 나아가 악기의 개념을 극단으로 끌고 가고자 했다. 전통적인 악기 외에 모든 사물, 심지어 자연의 소리마저도 악기로 여길 수 있다는 생각이었다.

사실 당시에는 이러한 생각을 현실화하기는 어려웠다. 예를 들어, 트럭의 소리를 진짜 악기처럼 쓰기는 어려웠다. 결국 이러한 사고방식은 20세기 중반 이후 전자 장치와 컴퓨터의 발전이 이루어지고 나서야 현실화되었다. 즉, 존 케이지가 제시한 '모든 소리는 악기가 될 수 있다'는 개념이 기술과 합쳐져 새로운 음악의 세계가 열리게 된다. 이에 관해서는 다음 연재에서 이야기할 예정이다.

존 케이지의 '잡음은 악기다'라는 개념은 〈4'33"〉처럼 철학적으로 접근할 수밖에 없었지만, 그의 혁신적인 생각은 이후 음악을 포함한 모든 예술 분야에 큰 영향을 미치게 된다.

4 . 잡 음 의
불 확 정 적   구 성

〈4'33"〉에서 중요한 것은 연주자의 침묵 그 자체는 아니다. 대신, 그 침묵을 통해 연주 장소에서 들리는 여러 가지 잡음들 즉, 숨소리와 기침 소리, 뭔가 부스럭거리는 소리, 소곤대는 소리, 멀리서 들리는 발자국 소리 등이 유의미하게 드러나는 것이다. 대부분의 연주회에서 이러한 소리들은 음악 감상에 방해가 되지만, 이 작품에서는 오히려 이 소리들이 주인공이 된다.

이러한 잡음들이 혼합되는 과정은 비록 작곡가의 정교한 손을 거친 것은 아니지만, 음악의 여러 요소가 혼합되어 하나의 음악을 만드는 작곡의 과정과 같다. 즉, 존 케이지는 '우연적으로 발생한 잡음의 불확정적 구성'이라는 매우 극단적인 작곡법을 만든 셈이다. 이러한 작곡 방식은 새로운 소리와 새로운 작곡법에 목말라하던 당시 작곡가들에게 엄청난 반향을 일으켰고, 20세기 음악사에 있어 하나의 획을 긋는 혁신으로 인정받고 있다.

그의 철학과 창작 방식은 당시 다른 예술가들에게 큰 영향을 끼치게 된다. 불확정성은 음악 창작에서 매우 중요한 요소로 자리 잡고, 악기의 전통적인 경계는 완전히 허물어지게 된다. 지난 연재에서 소개한 테리 라일리(Terry Riley)의 작품 〈In C〉와 같이 결과보다는 '과정' 혹은 '방법'이 더 중요한 미니멀리즘 음악의 기반이 되었다. 1960년대 활동했던 플럭서스(Fluxus) 역시 존 케이지의 영향을 크게 받았다. 앞서 언급했듯 1950년대 이후의 전자음악은 말할 것도 없다.

그러나, 이처럼 경계가 끝없이 확장된 20세기의 음악은 대중에게서 점점 멀어지는 결과를 낳는다. 새로운 예술이 대중에게 충분히 스며들기까지는 시간이 꽤 걸린다.

5 침묵은 음악인가, 소리인가

음악과 예술은 늘 변화해 왔지만 수백 년에 걸쳐 사회와
함께 느리게 변화해 왔다. 그런 점에서 20세기 예술은 너무
빠르게 기존의 경계를 허무는 근본적 변화를 했다. 많은
사람이 20세기 예술을 어려워하는 이유일 것이다.

〈4'33"〉이 발표된 지 70년이 넘은 현재는
어떨까? 이 작품을 예술로서 즐길 수 있는가는 또 다른
문제겠지만, 20세기의 수많은 예술 실험들이 오늘날
예술의 좋은 바탕이 되었음은 분명해 보인다.

5. 잡음은 정말 필요 없는 소리인가?

일반적으로 잡음은 불필요한 소리로 여겨지지만, 과연
전적으로 무의미할까? 존 케이지는 잡음에 대해 철학적인
접근을 시도했지만, 이후 전자 악기의 발전과 함께 잡음에
대한 과학적 연구가 이루어지면서 잡음에 대한 이해는
더욱 깊어졌다. 이러한 접근은 음악에 대한 새로운 영감을
불러일으키고, 소리 자체에 대한 흥미를 더욱 고조시켰다.

사실 대부분의 악기 소리에는 잡음이 포함되어 있다.
플루트나 바이올린 같은 악기의 소리를 유심히 들어본
적이 있는가? 악기의 소리는 대부분 매우 불안정한
진동으로 시작되고, 시간이 지나면서 점차 안정화되며

반복적인 진동을 만들어 낸다. 이 안정적인 진동이 악기의 음색과 음고(pitch)를 결정하는 반면, 초기의 불안정한 진동은 잡음을 형성한다.

흥미로운 점은 이 불안정한 진동이 악기의 정체성을 형성하는 데 중요한 역할을 한다는 것이다. 간단한 실험을 통해 이를 확인할 수 있다. 플루트 소리를 녹음한 후, 앞부분의 불안정한 진동을 제거하고 들어보면 더 이상 플루트 소리로 인식되지 않는다. 이는 마치 우리가 말할 때 자음을 모두 제거한 것과 비슷하다. 우리의 목소리도 자음이라는 불안정한 파형과 모음이라는 안정적이고 반복적인 파형이 결합되어 이루어지기 때문이다. 즉, 잡음으로 간주되는 불안정한 진동은 단순한 방해 요소가 아니라, 소리의 정체성을 부여하는 핵심 요소라 할 수 있다.

이러한 과학적 접근은 전자 음악의 창작에도 중요한 영향을 미쳤다. 작곡가들은 음악을 단순히 선율이나 화성 등의 조합으로 보는 것이 아니라, 소리를 직접 창조하는 과정 자체를 작곡법의 중심에 두게 되었다. 1950년대 이후 전자 악기의 발전은 이러한 흐름을 가속화시켰으며 컴퓨터의 등장과 함께 완전히 다른 방식의 작곡법을 탄생시키게 된다.

#5 침묵은
음악인가, 소리인가

6. 나가며: 침묵은
소리이자 음악이다

이번 연재에서는 음악 링크를 하나도 소개하지 않았다.
웹에 존 케이지의 〈4'33"〉를 검색해 보면 다양한 연주
영상을 볼 수 있지만, 나는 그 영상을 보는 것을 추천하지
않는다. 대신, 이 글을 읽는 동안 무슨 소리를 들었는지
묻고 싶다. 창밖의 자동차 소리? 나도 모르게 중얼거렸던
소리? 낮잠 자는 고양이의 코 고는 소리?

침묵은 귀를 연다. 수많은 작곡가들이 존 케이지의
침묵으로 인해 새로운 소리에 더 관심을 갖게 되었고,
들리는 '잡음'들의 우연적 조합에서 음악적 영감을 받았다.
그리고 작곡가가 아니더라도, 우리는 모두 종종 눈을
감고 귀에 들리는 잡음에 집중함으로써 새로운 영감을
발견할 수도 있다. 이것이 여러분이 연주하는 존 케이지의
〈4'33"〉이다.

LE MONDE
diplomatique

국제관계 전문시사지 〈르몽드 디플로마티크〉는 프랑스 〈르몽드〉의 자매지로
전세계 20개 언어, 37개 국제판으로 발행되는 월간지입니다.

과 학 ,
무 대 에 오 르 다

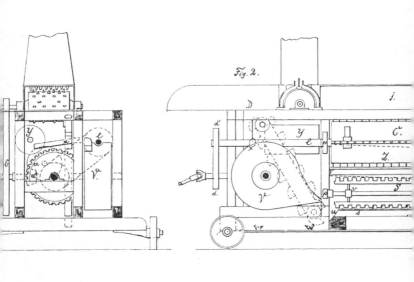

기 계 적
연 극 (機 械 的
演 劇)

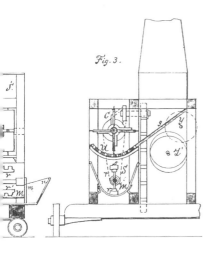

Fig. 3.

권병준 서울대학교 불문과 학사,
네덜란드 헤이그 왕립 음악원 아트
사이언스 석사. '올해의 작가상
2023'을 수상했다. 1990년대 초반
싱어송라이터로 6개의 앨범을
발표했다. 2000년대부터는 영화
사운드트랙, 패션쇼, 무용, 연극,
국악 분야에서 음악감독으로
활동했다. 2005년부터 네덜란드에
거주하며 전자악기 연구개발 기관
스타임(STEIM)에서 하드웨어
엔지니어로 일하다 2011년 귀국,
현재까지 소리와 관련한 하드웨어
연구와 음악, 연극, 미술을
아우르는 뉴미디어 퍼포먼스를
기획, 연출하고 있다.

터

하드웨어 엔지니어로서 기술에 기반한 악기와 무대, 그 밖의 장치들을 만들어 온 지 20년 가까이 되었다. 20년 전 EBS FM 〈세계 음악 기행〉 DJ를 그만두고 유학을 떠난 이후로 계속된 소리에 기반한 각종 뉴미디어 장비들의 연구, 개발을 위해 2011년 귀국 전까지 실험적인 전자악기와 연관된 뉴미디어 연구개발 기관인 스타임(STEIM, Studio for Electro-Instrumental Music)에서 근무하였다.

"이 일을 할 때 저 역시 배우고, 동시에 연주하고 있다고 느껴요. 그건 뜻깊고 좋은 거 같아요. 하지만 어떨 땐 저를 그냥 기술자로만 취급하는 아티스트들이 있어요. 그게 맞긴 하지만… 가끔씩 그들이… 존중까지는 아니더라도 의사소통을 중시했으면 해요. 예를 들면 전 작곡가와 연주자, 안무가와 댄서 이런 식의 관계를 좋아하지 않아요. 이런 일은 좀 더 자립적이어야 하고 평등한 사이여야 한다 생각해요. 하지만 그들은 그런 식으로 교육받았고 예술작업 때문인지 그런 식의 사고방식을 가지고 있어요. 거기에 익숙해져 있고 어쩔 땐 그 아이디어에서 헤어 나오지 못해요. 일을 체계적으로 하려면 그 (상하관계의)

방식이 맞는 거 같기도 하지만 전 그것에 흥미가
없습니다."
— 권병준, 협업에 대한 인터뷰, 스타임,
네덜란드, 2011.05.03.

엔지니어와 아티스트를 오가며 경험해야만 했던 불편한
상하관계와 서양식 예술창작 및 구현 방식에 대한 반감은
내게 예술적 자양분이자 작품의 모티브가 되었다. 무대의
규칙과 제약은 극장을 벗어난 일상의 무대를 꿈꾸게
하였고 개발비용과 규모가 한정된 적정기술로 나의 역량을
집중시키게 하였다. 그때 개발한 수증기 스크린, 얼굴
스크린 매핑, 손가락 레이저, 공중 끈과 연동된 신시사이저,
하이브리드 피아노, 전열기 조명과 같은 무대장치들은
소리와 빛을 확장하고 퍼포머의 움직임과 연주를
병치시키며 저비용의 특수효과를 구현했다. 그 작업들은
내게 '기계적 연극'이라는 장르의 연작들로 이어질 기반이
되는 소중한 지적 자산이 되었음은 물론이다.
　　'기계적 연극(機械的 演劇)'은 'Mechanical
theater'의 자의적 번역이자 등장인물로서의 인간을
대신하는 오토마톤(Automaton)을 활용해 극적인
이야기나 장면을 표현하는 극의 형태라 할 수 있다.
오토마톤은 자동으로 움직이는 기계 장치로, 특정한
동작이나 행동을 스스로 수행하도록 설계된 기계이다.

터 205　기 계 적　연 극

기원은 고대 그리스로 거슬러 올라가며, 그때부터 다양한 형태와 기능을 가진 자동화된 장치들이 만들어져 왔다. 오토마톤은 주로 인형이나 기계 장치가 특정 행동을 하며 관객에게 즐거움을 전달하는 방식으로 작동한다. 예를 들어, 18세기와 19세기에 인기를 끌었던 자동 피아노, 춤추는 인형, 그 밖의 태엽과 톱니바퀴로 구동되는 정교한 기계 장치들이 있다.

기계적인 움직임을 통해 이야기를 전달하는 데 뛰어난 역할을 하는 오토마톤은 종종 예술과 오락 분야에서 사용되는데, 사람의 손길 없이도 동작할 수 있어 관람객에게 놀라움을 선사한다. 기술이 발전하면서 오토마톤은 더욱 복잡한 동작을 구현할 수 있게 되었고, 지금도 인형의 형태로 놀이공원이나 박물관에서 사용된다. 기계적 연극은 주로 기계 인형과 복잡한 무대 메커니즘을 사용해 이야기를 전달하며, 관객에게 시각적 즐거움을 선사한다. 여러 인형이 자동으로 움직이며 극적인 상황을 연출하는 방식으로 구성되며, 여러 가지 장면 전환 기술과 함께 사용되어 이야기를 시각적으로 풍부하게 표현한다.

앞서 설명한 수증기 스크린 등과 같은 기술들은 이전에 만들던 악기들이 확장된 개념의 무대장치라고 나는 말한다. 이에 "스크린이 어떻게 악기입니까?"라는 질문을 받으면 "우리는 지금 (핸드폰과 태블릿 같은) 스크린을 두드리며 연주하고 있지 않나요?"라고 답하며 음악의

확장된 인터페이스를 추구하는 무대장치개발에 관해
자기합리화를 곁들여 부연한다. 오래전부터 있어 왔던,
그래서 그들만의 방식으로 굳어진 극장이라는 공간과
음향, 조명, 무대 등 기본적 기술 구성 요소들을 위해
존재하는 스태프 공연자들의 판에 박힌 듯한 태도 역시
나를 또 다른 형식의 극으로 움직이게 하는 계기가 되었다.
그리고 무대 위 인간의 개입을 최소화하는 기계극으로
나를 이끌었다.

　　　　　2018년 '대안공간 루프'로부터 개인전 제안을
받은 지 얼마 지나지 않아 나는 극단적인 이방인을
형상화한 로봇을 떠올렸다. 서로를 비추는 반쪽의 로봇은
그렇게 시작되었다. 모터를 다뤄본 적은 없지만 그동안
여러 융합적 장치들을 개발했던 경험은 생경한 분야에
선뜻 뛰어들 용기와 자신감을 불러일으켜 주었다. 그 후 약
3개월여 만에 12대의 로봇들을 디자인하고 제작하기까지
쉽지 않은 난관들이 있었다. 모터의 구동 원리는
이해했어도 중력과 마찰에 기반한 힘의 법칙을 고려하지
않은 직관적 접근방식만으로는 구상을 실현하는 데 많이
부족했고 따라서 수없는 시행착오를 겪어야만 했다.

　　　　　〈클럽 골든 플라워〉에서 로봇의 팔을 어깨높이
이상 들어올리기에 성공했을 때의 감격은 지금도 잊을
수 없다. 로봇들의 오른손은 거대한 갈퀴 모양의 무거운
기성품이었는데, 제대로 된 기어 구조도 없이 그 무게를

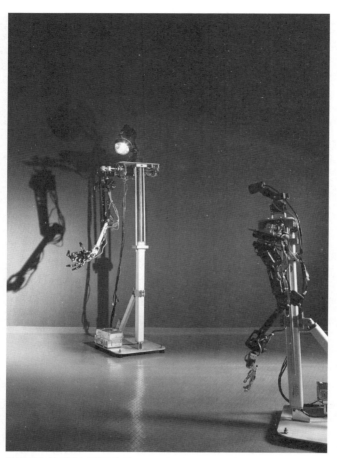

클럽 골든 플라워 (대안공간 루프, 2018)

들어 올리려 했던 무모함은 지금 생각하면 헛웃음이
날 지경이다. 그렇게 나의 첫 번째 로봇 프로젝트가
막이 올랐고 전시 기간 내내 로봇을 수리하며 제어
프로그램과 로봇의 동작을 가다듬어 나갔다. 여전히
초보적 수준이지만 많은 배움의 시간이었고 기계적 연극의
가능성을 발견해 나가는 보람도 있었다.

그로부터 2년 후인 2020년, 극장 형태의
화이트큐브 공간인 '플랫폼엘'에서 한 시간 분량의 기계적
연극 〈로보트 야상곡〉을 발표했다. 이 작품에서는 로봇을
움직이고 조명과 카메라를 제어하는 인간 스태프의 개입은
관객에게 보이지 않도록 했고, 대사 역시 노래 형식으로
단순화하여 전달하였으며, 조잡한 로봇의 움직임을
극대화하기 위한 조명과 로봇의 그림자 안무에 많은
시간을 할애했다. 6미터 높이의 크레인, 자체 제작 스크린,
오버헤드 프로젝터, 회전판, 스모그 머신, 실시간 영상
합성과 믹싱과 같은 장치와 기술들을 대거 투입했는데,
이를 제어할 때 상용 프로그램을 사용하지 않았다.

〈로보트 야상곡〉은 해외관계자를 비롯해
나름의 관심을 얻었으나 이후 전 세계를 휩쓴 코로나19
전염병으로 인해 계획됐던 해외 공연들은 취소되고 대중의
관심도 조금씩 멀어져 갔다. 팬데믹으로 인해 격리된
시간 동안 기계적 연극의 표현력을 높이고 다변화하는
연구개발을 진행했고 자동화된 크레인을 이용한 로봇의

기 계 적   연 극

로보트 야상곡 (플랫폼엘, 2020)

부양 기술, 거대한 애벌레처럼 공간을 기어다니는 사다리, 메카넘 모바일을 이용한 자유로운 공간이동 로봇, 손가락을 대체하는 자동화된 부채, 두 팔을 가진 로봇의 제어시스템 등이 만들어지게 되었다.

　　　　이후 2022년에 '쿼드' 극장에서 재현된 〈로보트 야상곡〉은 이러한 로봇 기술들이 극의 다채로움을 넓히는 데 기여했지만, 빠르게 기술이 발전한 상업 로봇에 익숙해진 대중의 눈높이를 맞추기엔 많이 부족하였다. 주변의 벽을 그림자로 채우기 힘든 전통 블랙 큐브 형태의 극장에서 무대 한 곳에 고정되어 공연 시간 내내 머무는 로봇이 가지는 한계는 명확했다. 무대 위에서 자유롭게 이동이 가능한 로봇의 필요성을 절감하게 되었고 뒤편 객석의 관객에게도 존재감 있게 다가갈 수 있는 더 크고 유려한 동작이 가능한 로봇이 있어야 했다.

　　　　그러한 기존 로봇들이 가진 표현력의 한계를 극복하고자 'GF3'라는 이름의 휴머노이드를 기획했다. 저비용 RC용 서보모터와 비효율적인 관절구조로 인한 거친 움직임을 보완하고자 고출력 BLDC 모터와 3D프린팅으로 제작한 가벼운 감속기, 그리고 산업용에 준하는 제어 능력의 컨트롤러를 이용한 액츄에이터를 제작했다. 이 로봇은 양손을 펼쳤을 때 2미터 이상의 길이가 나오는 전혀 다른 형식의 거인이다. 두 개의 모터가 함께 구동하며 서로 다른 두 개의 관절을 제어하는

기 계 적 　 연 극

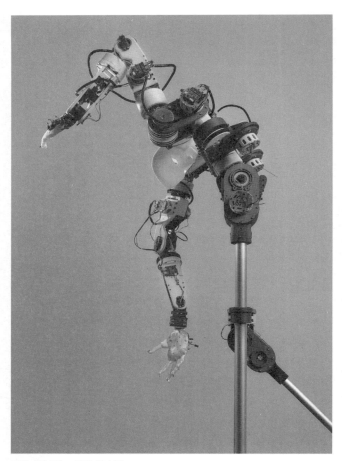

GF3 (2023) _ 사진 박승기

212

디퍼렌셜 조인트(Differential Joint)와 스프링을 이용한
중력 보상 시스템이 적용되어 무게 대비 고효율의 제어를
가능하게 하는 GF3는 그 크기와 자연스러운 움직임으로
청중을 사로잡는 로봇 배우로 커나가게 되었다.

　　　이상의 시에서 이름을 따온 '아해'는 철판 무대
위를 걸어 다니는 이족 보행 로봇이다. 바퀴로 움직이는
기존 로봇들의 움직임과 차별화된 인간의 걷기를 모사하는
이 로봇은 발 구조 앞뒤로 2개의 영전자석(Permanent
Electro-Magnet)이 장착되어 철판 바닥에 자석으로
발을 붙이고 떼며 걷는데, 2개의 모터만으로도 안정적인
걸음을 걷는다. 약 3미터의 키에 상단에 장착된 반짝이는
술과 천은 걸음에 반응하여 찰랑거리며 전자석과 철판이
결착하는 타격음은 흡사 탭댄스와 같은 효과음을
만들어낸다.

　　　가장 최근에 만들어진 '아해'는 모든 개발이
그러하듯 아직 많이 모자라고 불안하다. 정해진 일정
때문에 관객들 앞에 서느라 구상보다 완성도가 떨어지는
공연을 보여주게 되어 개인적으로 많은 아쉬움이 남는다.
그 불안한 기계들의 삐걱거림을 나름의 이야기로 만드는
것은 관객의 몫이겠지만, 긴 공연 시간 동안 아직 온전하지
못한 제한된 로봇들의 움직임을 공감하도록 도와주는
보조적 효과와 장치들이 있어야 했다. 그림자로 환원되는
로봇의 움직임은 기묘한 밤의 여운과 환타지를 만들어

터 213　　기 계 적　연 극

아해 (2024) _ 사진 박지선

주었고 무대장치, 빛과 소리의 정확한 조응 역시 기계적 연극 감상의 포인트를 다변화시켰다.

기계의 비약적 발전의 시대에 그것의 예술적 변용과 그 접점의 모색은 일면 당연해 보인다. 21세기 오토마톤의 무대는 지난 세기 인간 배우의 그것과는 매우 다를 것이다. 비인간과의 교감은 새로운 차원으로 나아가고 있으며, 기계는 단순한 도구에서 벗어나 감정과 사고를 지닌 존재로 인식되기 시작하였다. 오토마톤과 로봇들로 구현된 기계적 연극의 무대와 퍼포먼스는 작품 소재의 다변화를 이끌고 나아가 인간 중심의 기존 극 전개 방식과는 차별화되는 새로운 장르로 자리 잡고 기계는 예술창작의 동반자로서 창작의 전 과정에 개입하게 될 것이다. 관객은 단순히 수동적 수용자가 아닌 오토마톤이나 로봇과의 교감을 통한 상호작용의 일원이며 이러한 예술적 경험은 기술과 감정의 융합에 대한 새로운 논의를 불러일으킬 것이다. 안정화까지 평균 3년이 걸리는 로봇의 개발기간, 관객들의 높은 기대치, 연구개발과 연출을 함께 고민해야 하는 가내 수공업적인 제작 환경의 한계도 명확하지만, 그 가능성을 믿고 함께해 준 동료들의 헌신적인 노고에 다시 한번 감사의 말씀을 전하며 기계적 연극에 관한 짧은 기록과 소회의 글을 마친다.

에 세 이

As ever your
friend Mrs Jane
L West Inoga S.
Tnnkhannuek
Ps I do hope y
other boys are al
good bye

젖

터

이길보라 작가이자 영화감독이다.
농인 부모로부터 태어난 것이
이야기꾼의 선천적 자질이라고 믿고
글을 쓰고 영화를 만든다. 『해보지
않으면 알 수 없어서』, 『고통에
공감한다는 착각』 등을 썼고, 영화
〈반짝이는 박수 소리〉, 〈기억의
전쟁〉 등을 연출했다. 최근에는
엄마라는 정체성을 탐구하고 있다.

젖젖젖젖젖젖젖젖젖젖젖젖젖.

　　　　나도 몰랐다. 하루 종일 젖만 물리고 젖 물리는
법을 검색하고 젖 이야기만 하고 젖 생각만 하게 될
줄은. 젖을 물리는 일이 눈물이 날 정도로 아프고 어렵고
고단하면서 동시에 행복해서 눈물이 나고 아름답고
경이로울 줄은. 허리를 꼿꼿이 펴고 수유쿠션을 착용하고
아이의 고개를 잡고 각도를 맞춘 후 겨우 젖을 물리고
나면 목이 타서 아이가 젖을 먹는 동안 나도 물 1리터는
기본으로 꼴깍꼴깍 마시게 될 줄은. 그렇게 하루에 열두
번도 넘게 30분에서 1시간을 반복하게 될 줄은. 젖을 다
먹고 기진맥진한 아이를 부여잡고 게우지 말라고 한참을
어루만지다 뉘어놓고 다음 수유 때 마실 물을 챙기고
눕자마자 어디가 불편한지 다시 우는 아이에게 달려가게
될 줄은. 나의 모든 생활이 모유의 양과 질에 직결되어 먹고
자는 모든 것을 통제당하고 통제하게 될 줄은. 젖 물리고
아기 돌보느라 잠을 설치거나 잠의 양이 부족하기라도
하면 그대로 젖의 양이 줄거나 질이 낮아지게 될 줄은.
아이를 바라보거나 울음소리를 들으면 어떻게 알았는지
핑, 하고 가슴에 젖이 돌고 젖꼭지에서 모유가 뚝뚝뚝
떨어지게 될 줄은. 노곤한 몸을 이끌고 씻는데 무언가
젖꼭지를 스쳐 왼쪽 오른쪽 할 것 없이 사정없이 배출되는
젖을 마주하게 될 줄은. 양손으로 젖꼭지를 누른 채 나는
정말 동물이구나 생각하게 될 줄은. 아이가 젖을 먹는

218

양과 생성된 양이 비례하지 않았거나 무언가를 잘못 먹어
유선이 막히기라도 하면 눈물을 머금고 젖 마사지를
받거나 스스로 바늘을 들고 젖꼭지를 찔러야 한다는 걸.
그러다 상처라도 나면 울면서 아이에게 젖을 물릴 수밖에
없다는걸. 누가 대신 젖 좀 물려주면 좋겠다고 조금이라도
더 자고 싶다고 밖에 아이 없이 잠시라도 나갔다 오고
싶다고 생각하며 시간을 지체하면 어김없이 젖이 불어
가슴이 벽돌처럼 딱딱해진다는 걸. 그 단단함을 풀어줄 수
있는 건 유축기도 아니고 병원에서 배운 손으로 젖 짜는
법도 아니고 눈도 뜨지 못하는 작은 아기가 젖 먹던 힘까지
쭉쭉 빠는 것뿐이라는 걸. 아이와 나는 본능적으로 떼려야
뗄 수 없는 관계라는 걸. 누군가 젖을 물리는 시간과 그
노동이 정규직으로 일하는 것과 다를 바가 없다며 시간
계산을 하여 비교해 놓은 글을 보고 고개를 끄덕이게 될
거라는 걸. 모유 수유가 엄마라는 존재의 숭고함으로만
읽혀지는 것이 아니라 엄연한 (돌봄) 노동으로 인정되어야
한다는 걸. 아이를 낳기 전에는, 젖을 물려보기 전에는 전혀
몰랐던 것들이다.

아이에게 처음으로 젖을 물리던 때를 기억한다.
충격적이었다. 이렇게 힘들고 아프다니. 젖을 물리고
젖을 빠는 일이 이렇게 어렵다니. 이 모든 걸 이제야 알게
되다니. 말도 안 된다고 생각했다.

터 219 ~~젖~~

병원에서 출산하고 신생아실로 향했다. 하루 종일 잠만 자는 아이를 보면서 이게 정말 내가 낳은 거구나, 내 뱃속에 있던 존재구나, 이제부터 함께인 거구나, 어색하게 바라보았다. 조산사는 곧 젖이 돌 테니 오늘은 쉬고 천천히 젖 물리는 법을 연습하자고 했다. 가슴이 뭉치는 기분이 들거나 아픈지 물었다. 나는 당당히 말했다. 아니요. 누구에게나 온다는 유방 통증, 젖몸살, 유선염[1], 유두백반[2] 같은 것이 내게는 없는 줄 알았다. 그때는 몰랐지. 그 질문이 젖이 도냐는 말인 줄은. 잘 때마다 몸살이 걸린 것 같이 땀을 흘렸다. 으슬으슬 추웠다. 덥지 않게 온도를 설정해 두었는데도 시트가 흠뻑 젖었다. 가슴이 무겁고 딱딱해서 어딘가에 스칠 때마다 아팠다. 처음 경험하는 감각이었다. 이렇게나 작은 것이

---

1 유방에 생기는 세균성 감염을 말한다. 유두 표면의 작은 상처를 통해 세균이 침입하면 유관염이 발생하고, 유관염이 진행되면 유선에 염증을 일으킨다. 병균이 유두의 상처로 침범한 후에 고인 젖에서 자라서 발생한다. 젖을 먹이는 여성의 30%가 유선염을 경험하고, 출산 후 석 달 이내에 가장 많이 생긴다.
2 얕은 젖 물림 등으로 인해 모유의 배출이 원활히 되지 않아 오랫동안 울혈이 된 상태에서 유두의 상처가 동반되고 수유부의 면역력이 떨어진 상태에서 아이 입이나 콧속에 있는 균이 유두를 통해 유방 내로 침입하여 생긴다. 유두의 염증으로 모유가 막히면서 유두에 하얀 반점이 생긴 것처럼 보인다. 유방통과 오한, 발열, 유방의 부종 및 멍울이 생기고, 수유 시 칼로 긁히는 듯한 통증을 느낀다. 치료 방법으로는 평상시와 다른 자세로 수유하거나 따뜻하게 찜질을 한 후 아기에게 젖을 물리는 등이 있다. 의사 혹은 유방 관리 전문가의 도움을 받아야 한다.

내 아이라니 생각할 즈음이었나, 아무 생각도 하지 않을 때였나. 가슴이 지잉, 하고 울렸다. 유방이 뭉친 것 같았다. 젖이 도는 감각이었다.

젖은 시도 때도 없이 찼다. 밥을 먹다가도, 아이의 기저귀를 갈다가도, 목욕을 하다가도 징, 지잉, 징징징 하고 울렸다. 우는 아이에게 젖을 물렸다. 조산사에게 배운 대로, 유튜브에서 보던 대로 유방을 잡고 아이의 입에 밀어 넣었다. 아이를 끌어당겨 젖꼭지 주변의 검은 부분인 유륜까지 깊게 물렸다. 아이는 빠는 둥 마는 둥 했다. 이렇게 물리는 것이 맞는지 당최 알 수 없었다. 30분이 넘게 젖을 물리고 트림 소리가 날 때까지 십 분이고 이십 분이고 등을 쓰다듬었다. 젖을 잘 먹고 있는지 확인하려면 아이를 체중계에 올려보라고 했다. 수유 전과 수유 후의 체중을 비교하면 아이가 얼마나 젖을 먹었는지 알 수 있다고 했다. 그러나 몸무게는 매번 비슷하거나 크게 달라진 것이 없었다. 젖이 돌긴 도는데, 아니 돌고 있는 것 같은데 이것이 아이에게 가는지 알 수 없었다. 조산사는 신생아의 위는 구슬만큼이나 작아서 적은 양으로도 충분하다며 손으로라도 짜서 먹이자고 했다. 젖 먹는 데 힘을 다 써 기진맥진한 아이를 뉘어놓고 유방을 마사지하고 젖을 짰다. 노란빛의 초유가 한두 방울 젖꼭지에 맺혔다. 젖병에 조심스럽게 받았다. 이 귀한 것, 한 방울도 놓칠 수 없다는 마음으로 젖병 입구를 유륜

젖

끝까지 대었다. 수유실을 둘러보았다. 손쉽게 아이에게 젖을 물리거나 젖병 가득 모유를 짜낸 엄마들을 바라보며 부러운 마음을 숨길 수 없었다. 나는 왜 저만큼 젖을 생성하지 못하는가. 내 가슴은 왜 이렇게 작아서 젖 먹이기 쉬운 자세를 만들지 못하는가. 내일이면 저렇게 되려나. 모레면 익숙해지려나. 속상하고 답답했다.

　　　아이와 함께 방으로 향했다. 젖양을 늘리고 모유 수유에 성공하려면 모자동실을 하며 계속해서 젖을 물려야 한다고 배웠기 때문이다. 아이가 울고 보챌 때마다 입을 움직일 때마다 물렸다. 말처럼 쉽지 않아서 수유쿠션 위에 수건을 개어 아이의 입과 젖꼭지가 일직선이 되도록 높이를 맞추기도 하고 의자에 앉았다가 침대에 앉기도 하고 어깨를 굽혔다가 펴기도 했다. 아이의 입에 겨우 유륜을 밀어 넣으면 참을 수 없는 고통이 느껴졌다. 누가 젖꼭지를 손가락으로 잡고 세게 아주 세게 잡아당기는 기분이었다. 세상의 모든 수유부들이 이걸 참는다고? 참아낸다고? 믿을 수 없었다. 아이도 빠는 법을 익히고 엄마도 젖 물리는 요령을 알게 되면 아프지 않다던데. 도대체 그게 언제라는 거야! 그런데 충분히 감당할 수 있는 이유가 있었다. 옥시토신이었다. 아이를 낳았을 때의 쾌감, 정말 아파서 구토하고 울고 소리 지르고 포기하고 싶다고 말하기까지 했지만 다시 한번 해본다면 더 잘 해볼 수 있을 것 같다고 느끼게 되는 그 쾌락, 심지어는 또

출산하고 싶다고 생각하게 만든 호르몬이 수유할 때마다 분비되었다. 아이가 텁, 하고 젖을 물면 긴장이 풀어지고 달뜬 기분이 되었다. 이런 거라면 평생 물리고 싶다고 생각할 정도였다. 아이에게는 젖 냄새라고 하는 달고 단 냄새도 났다. 하루 종일 아이를 안고 킁킁댔다. 사랑과 애정으로 가득하여 행복이 넘쳐났다. 호르몬이 제 역할을 톡톡히 했다.

출산 후 8개월이 지난 지금은 젖을 하루에 네 번 먹인다. 아침에 일어나서 한 번, 이유식으로 점심을 먹이고 나서 한 번, 오후에 간식으로 한 번, 자기 전에 한 번. 젖 먹자, 라고 말하면 아이는 알아듣고 흥분한 표정으로 기어 온다. 안아 눕히면 입을 벌리고 기다린다. 옷을 들어 올려 유방을 입 가까이 대면 자석같이 턱, 하고 문다. 아이가 젖을 물고 엄마가 젖을 물리는 건 본능이라는 단어 없이 설명하기 어렵다. 물론 그 뒤에는 엄청난 인내와 노력과 눈물과 고단함이 있다. 이제부터 계절이 세 번 더 바뀌면 젖을 끊을 계획이다. 그때가 되면 또 다른 젖 이야기를 쓸 수 있겠지. 내 생애 존재하지 않았던 단어가 이제는 아기와 내 삶의 한 부분을 크게 차지한 것을 본다. 낯설고 생경하고 찬란하고 황홀한 그 단어, 젖.

*이 글은 엄마가 아이를 봐준 덕분에 쓸 수 있었습니다. 또한 엄마가 없는 동안 배고픔과 졸림을 참아준 아이

터 223 젖

덕분이기도 합니다. 엉망이 된 집안 살림을 맡은 파트너
또한 빼놓을 수 없습니다. 육아 중 글을 쓸 시간을 확보하는
건 계획대로 되지 않고 그 역시 절대 상상하지 못했던
일입니다. 모두의 돌봄에 기대어 씁니다.

224

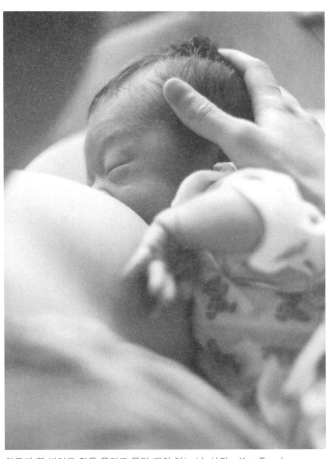

하루에 열 번이고 젖을 물리고 물던 때의 어느 날. 사진 _ Ken Tanaka

터 225 ^젖

faro

길

cast

'길'은 떨어져 있는 공간을 잇습니다. 새롭게 이어진 공간은 새로운 의미를 만듭니다. 우리는 새로운 길을 내줄 것으로 기대하는, 길고 특별한 기획 기사들을 '길'이라는 이름으로 묶습니다. 댄 시먼스의 『히페리온』에 등장하는 '길(Farcast)'은 행성과 행성을 잇습니다.

"우리가 가야할 길은 분명합니다. 바로 과학기술의 혁신을 이루는 것입니다. 앞선 기술로 첨단제품을 만들어 해외시장을 넓혀나가야 합니다. 우리의 기술력과 과학기술 인력을 보고 외국인들이 투자를 결정하도록 해야 합니다. 나아가 新산업을 창출해서 우리의 다음 세대들이 먹고 살 거리를 준비해나가야 할 것입니다. 지난날 우리는 모방과 학습으로 선진국을 뒤쫓아 왔습니다. 이제는 독자적인 기술개발로 이들을 앞질러야 합니다. 그래야 21세기 지식기반시대에 당당하게 선진국으로 진입할 수 있습니다. 저는 제 임기 동안 '과학기술중심사회'를 구축하기 위해 최선을 다할 것입니다. '제2의 과학기술 입국'을 이루어낼 것입니다. 올해 2003년을 제2과학기술 입국의 원년이 되도록 하겠습니다."

제36회 과학의 날 기념식 연설
2003년 4월 21일

AI 이미지
창작자
전혜정
인터뷰

생성형 AI는 '사다리 걷어차기' 기술이다:

전혜정 청강문화산업대학교
만화콘텐츠스쿨 교수. 콘텐츠 연구자,
디자이너, 소설 및 시나리오 작가

전치형 KAIST 과학기술정책대학원
교수. 본지 편집주간

길

챗지피티(ChatGPT)는 글을 써 주고, 미드저니(Midjourney)는 그림을 그려 준다. 글을 제대로 써 본 적 없는 사람도 이제 글을 쓸 수 있고, 그림을 제대로 배워 본 적 없는 사람도 이제 그림을 그릴 수 있다. 정말 그럴까? 인공지능은 어떤 글을 쓰고 어떤 그림을 그려 주는 것일까? 창작자는 인공지능이 내어놓은 결과물과 어떤 관계를 맺게 되는 것일까? 이미지 생성 인공지능을 적극적으로 사용하면서 그 의미에 대해서도 고민하는 창작자이자 연구자인 청강문화산업대학교 전혜정 교수를 만나 '인공지능이 그리는 그림'에 관해 물었다.

전치형 이미지 관련해서 주로 어떤 작업이나 연구를 하는지 간단히 소개해 주실 수 있을까요?

전혜정 생성형 AI가 언어와 그림을 쌍으로 연결한 데이터로 학습했다고 하죠. 그래서 저도 언어와 그림의 상관 관계를 통해 생성형 AI가 그릴 수 있는 그림의 역량을 탐험하는 걸 좋아합니다. 각종 예술 스타일을 지시하는 용어, 문화적이고 기술적인 단어, 구체적인 상황 묘사와 추상적인 표현 등 다양한 언어를 실험하면서 생성형 AI가 어떤 그림을 어떤 말로 배웠고, 그래서 어떤 그림을 그릴 수 있는지 확인하는 연구를 했습니다.

길 233

생성형 AI는 '사다리 걷어차기' 기술이다: AI 이미지 창작자 전혜정 인터뷰

<u>전치형</u> 이미지를 생성하는 AI는 어떤 목적으로 얼마나 많이 쓰시나요?

<u>전혜정</u> 텍스트에 곁들일 삽화를 만들기도 하고 유튜브 썸네일을 만들기도 합니다. 수업 교안에 넣기도 하고요. 실용적인 목적으로 쓸 때는 그 정도로 사용합니다.

<u>전치형</u> 미드저니 같은 생성형 AI를 쓰면 정말 누구나 그림을 잘 만들어 낼 수 있나요?

<u>전혜정</u> 미드저니 그림도 원래 창작을 하셨던 분들이 확실히 잘합니다. AI 시대에는 누구나 그림을 그릴 수 있다고 하는데 실제론 그림을 진짜 잘 그리는 사람이 더 잘 그리게 되는 거죠. 이미지에 대한 발상과 기획력, 장면을 구성하는 스토리텔링, 디렉팅을 하는 방식, 이미지에 대한 이해와 용어의 익숙함 등에서 차이가 나니까요.

　　　　또 다른 문제도 있습니다. 도구의 난이도죠. 원래 생성형 AI는 자연어로 요청하면 전문적인 그림이 나오니까 누구나 '쉽게' 그림을 잘 그릴 수 있다는 것이 장점이었죠. 그런데 생성형 AI의 가장 큰 문제가 그림의 세부적인 디테일까지 통제를 할 수 없다는 점이거든요. 알아서 잘 그리긴 하는데 완벽한 통제는 잘 안 되니까 그걸 보완하기 위해 추가적인 기능이 생기거나 외부 도구들이 붙기

시작합니다. 그러다 보면 결국은 AI라는 툴(도구)도 기존의
툴만큼 복잡하고 다루기 어려워져요. 여기서부터 첫
전제였던 '누구나 그림을 잘 그릴 수 있다'는 말에서 다시
멀어지기 시작하죠. 기존 툴들은 일반인이 쓰기에 너무
복잡했는데 AI는 간단한 단어들만 가지고 그냥 '딸깍' 하면
된다고 주장했던 사람들이 많았잖아요. 그런데 만화처럼
모든 컷을 내 생각대로 통제해야 하는 작업을 AI로 하려면
결국 그만큼 어려워질 겁니다. 지금도 'AI로 웹툰 만들기'
류의 책을 보시면 다시 복잡해진 것을 알 수 있습니다.
그런 두꺼운 활용서가 나와야 할 정도니까요. 초기에
옹호자들이 했던 말처럼 반드시 '누구나 쉽게' 그림을
그리게 되는 건 아닙니다.

<u>전치형</u> 얼마 전 쓰신 글에서 생성형 AI를 동물 서커스에
비유하신 걸 재미있게 봤습니다. 인간은 아니지만
나름대로의 의식이 있고 행동이 있고 학습도 하고. 하지만
동작 하나하나를 연습해서 하면서도 지금 어떤 스토리가
있는 어떤 공연을 하고 있는지는 모르는 상태죠. 또 인간은
동물을 열심히 조련한다고는 하지만 항상 불확실성과
위험이 있어서 안심할 수가 없고, 또 결과물은 매번 달라질
수 있고요.

<u>전혜정</u> 수많은 인간들의 그림을 학습함으로써 인간이 어떤

생성형 AI는 '사다리
걷어차기' 기술이다: AI
이미지 창작자 전혜정 인터뷰

결과를 좀 더 좋아하고 의미 있게 생각하는지 파악하게 되면서 그것을 제시하는 방식입니다. 개랑 똑같은 거예요. 강아지를 훈련할 때 주인이 "손" 할 때 앞발을 내밀면 주인이 좋아하니까 '악수'라는 행동의 맥락은 전혀 모르면서도 앞발을 내밀잖아요. 인공지능도 인간이 이걸 왜 좋아하는지까지는 끝내 몰라요. 앞발을 내미는 강아지처럼 인간이 좋아하더라는 것만 경험적으로 알 뿐이죠. 만약 악수라는 행동의 의미와 역사적 맥락을 인간만큼 이해한다면 강아지는 그냥 앞발만 내미는 게 아니라 발을 뒤집어 악수하는 동작을 찾아낸다든가 해서 주인을 더 기쁘게 할 수 있겠죠. 강아지는 그걸 못합니다. 그냥 발만 내밀어도 주인은 좋아하니까. 미드저니 그림도 딱 그렇습니다.

<u>전치형</u> 예를 들면서 설명해 주실 수 있을까요?

<u>전혜정</u> (노트북 컴퓨터에서 미드저니 프로그램 화면을 보여 주며) 이번에 삽화를 하나 만들면서 셜록 홈즈를 그릴 일이 있었어요. 저는 '집 안에서 바이올린을 켜는 셜록 홈즈'를 그리고 싶었는데 홈즈가 집 안에 있는 결과가 잘 안 나오는 거예요.

<u>전치형</u> 프롬프트(지시문)에 'inside'라고 넣었는데도

236

그렇네요.

전혜정 그리고 자꾸 영국 BBC의 드라마에서 셜록 홈즈를
연기했던 베네딕트 컴버배치 배우를 닮게 만들어요.
저는 옛날의 셜록 홈즈 초기 삽화 스타일을 원했는데
얘는 그런 걸 못 뽑아 주네요. 하지만 이것도 우연이라
더 하다 보면 나오기도 해요. 한 번에 나올 때도 있고,
오래 걸릴 때도 있는데 그것도 랜덤이죠. 아무튼 '이 정도
해 주면 인간들이 가장 좋아하더라' 하는 것을 알아서
그걸 찾아 주는 거예요. 마치 실력 좋은 바텐더 같다고
할 수 있는데, 손님이 들어와서 애매하게 주문해도 대충
'이런 입맛이겠구나' 하면서 잘 만들어 주는 거죠. 그래서
적당하게 맛있는 프랜차이즈 그림이 계속 나오는 거예요.

전치형 무난하게 잘 그린 그림들이군요.

전혜정 (미드저니 프로그램의 다른 그림을 가리키며) 어떤
분의 요청을 받아서 작업 중인데요, 라파엘로의 '아테네
학당' 분위기의 그림에다가 플라톤이나 아리스토텔레스
같은 고대 철학자 대신 현대 철학자들의 얼굴을 넣은
그림을 만들어 달라고 했어요. 제가 이것을 애거서
크리스티 추리물 포스터 느낌으로 하면 재밌겠다
싶었는데, 프롬프트를 넣으면 그런 분위기가 나오기는

길 237

Sherlock Holmes playing the violin inside,
in the style of an 80s Hollywood movie poster

238

하더라고요. 그런데 사람 숫자를 늘려서 20명, 30명을 만들라고 하면 그 숫자를 못 맞춰요. 생성형 AI는 '30명 만들어' 했을 때 그 의미를 몰라요. 30명이라고 하면 사람을 많이 그리기는 하는데 그 숫자의 의미를 정확히 알고 그리는 건 아니에요. '30명'이라는 단어를 보면 자기가 학습한 그림 중에서 사람이 많았다는 것만 알고 있는 거죠. 얘는 모든 말을 '느낌적인 느낌'으로만 알아요.

전치형 (다른 그림을 가리키며) 여기 이 그림은 프롬프트를 딱 한 번 넣어서 나온 결과물인가요, 아니면 여러 번 수정 작업을 시켜서 나온 건가요?

전혜정 어차피 디테일을 다 수정할 수 없기 때문에 한두 번 하고 끝내는 편이 경험상 더 낫더라고요. 여기서 수정을 거듭하면 오히려 손가락도 엉망이 되고 얼굴도 엉망이 되거든요. 또 처음 나온 그림에서 어느 글자 모양만 고치고 싶다든가 어느 부분에 백라이트를 넣고 싶다든가 하는 세부적인 수정은 썩 마음에 들지 않았어요. 잘하지도 못하고요. 수정할 부분만 지정할 수도 있고, 계속 프롬프트를 바꾸면서 수정하면 될 때도 있지만 그만큼 시간이 들고요. 장점은 두고 단점만 수정하려고 해도 자칫하면 원래 이미지에서 제 마음에 들었던 분위기나 디테일이 사라지고 망가지게 마련이거든요. 장점도

생성형 AI는 '사다리 걷어차기' 기술이다: AI 이미지 창작자 전혜정 인터뷰

Movie poster, photo, 30 suspects, mystery, hero, gentlemen, ladies, group shot

240

포기해야 할 수도 있죠. 그래서 한두 번 해서 마음에 들게 안 나오면 그건 포기하고 새로 시작하는 게 나았습니다. 그런데 이건 단순히 미드저니 등을 사용하는 저의 개인적인 노하우이고요, 생성형 AI 전반의 특성이 반영된 팁은 아닙니다.

전치형 지금까지 포토샵 같은 툴을 전문가 수준에서 많이 쓰셨을 텐데요, 이미지 생성 AI 툴을 기존의 툴들과 비교해 보면 어떤가요?

전혜정 머리에 떠오른 100% 완성 지점이란 게 있을 때, 기존의 툴로 거기에 도달하려면 노력이 정말 많이 들어갑니다. 포토샵에서 브러시도 바꿔야 하고 세팅도 바꿔야 하고 내 마음에 드는 세팅이 될 때까지 계속해야 하죠. 그러려면 기능도 아주 많이 알고 있어야 하고요. 기능을 배우는 데에도 시간이 꽤 걸립니다. 기존의 툴은 아주 복잡하죠. 하지만 그래도 내 수족이긴 합니다. 잘 익히면 익힐수록 내 수족이 되기는 하죠.

전치형 점차 내가 통제 가능한 범위로 들어온다는 얘기인가요? 또는 '내가 포토샵 마스터가 된다'라는 느낌?

전혜정 내가 노력해서 포토샵 마스터가 된다면, 이

길 241

포토샵으로는 내가 만들고 싶은 것을 못 만들지는 않아요. 즉 내가 원래 가진 역량만큼은 만들 수 있게 됩니다. 하지만 내가 그림을 안 그려 본 사람이라든가 머릿속에 완성된 이미지가 모호한 사람이라면 포토샵을 줘도 그걸 못 만들죠. 어떤 디테일을 고쳐야 그 그림에 도달하는지 모르기 때문에 그렇습니다. 기존의 툴은 복잡하더라도 그 사람의 수족이 되기는 하는데, 결국 그 사람의 능력치 이상을 발휘할 수는 없는 것이죠.

전치형 생성형 AI는 그런 '수족'과 다른가요?

전혜정 AI를 쓰면 내가 생각했던 것 이상을 만들 수는 있습니다. 머릿속에 모호한 이미지를 가진 사람도 "강아지가 주인과 악수하는 거 만들고 싶은데"라고 하면 내가 직접 그린 것보다 훨씬 잘 그린 그림이 나와요. AI는 누구나 쉽게 90%까지는 도달하게 만들 수 있어요. 원래 20이던 사람도 90에 도달할 수 있고 80이던 사람도 90에 도달할 수 있는데 기존 툴보다 빠르고 덜 고통스럽게 도달하기 때문에 처음에 실력이 20-30이었던 사람한테는 아주 좋은 거예요. 내가 아무리 포토샵을 배우고 그림을 배워도, 그림에 재능이 없어서 만들 수 없던 90 수준의 것을 프롬프트 몇 번에 만들어 주니까, 거기에 만족한다면 충분한 거죠.

하지만 그 너머를 볼 수 있는 예술가들한테는
그런 점이 답답합니다. AI가 항상 90만 내주잖아요.
90까지 도달하는 시간은 짧은데 90에서 100으로 가는
것이 거의 불가능해요. 원래 100을 할 수 있던 사람들은
고생해서 포토샵을 익히면 그것을 수족 삼아 100의 결과를
내요. 하지만 90을 낸 미드저니한테 더 시켜서 100까지
만드는 건 잘 안 돼요.

전치형 초심자와 전문가 사이에 큰 차이가 있군요.

전혜정 스스로 시행착오를 겪으면서 작품을 완성해 보지
않은 친구는 이 안에 어떤 디테일이 들어가는지 끝내
모르기 때문에 AI가 내놓은 그림이 90인지 80인지
100인지 판단을 못합니다. 내가 원하는 바가 아주
모호해도 얘는 그림을 그려 주니까 애초에 내가 그리고
싶은 그림의 이미지가 머릿속에서 점점 더 모호해져요.
제가 걱정하는 것은 아예 초보자일 때부터 AI를 쓰기
시작하는 사람들입니다. 인간은 자신의 의도대로 글과
그림을 몰아가면서 작품을 개발하는 경험이 있어야
합니다. 그래야만 발상과 기획을 점점 더 또렷하게 할
수 있고, 생각의 힘도 날카롭게 갈아지게 됩니다. 그런데
적당히 모호해도 뭔가 그럴싸한 게 만들어지는 것에
익숙해지면, 인간은 생각의 힘을 잃습니다. 글을 쓰면서

생성형 AI는 '사다리
걷어차기' 기술이다: AI
이미지 창작자 전혜정 인터뷰

자신의 생각을 날카롭게 다듬어 나가는 경험이 없으면 인간의 두뇌 능력 자체가 점점 퇴화할 것입니다.

<u>전치형</u> 전문가의 입장에서 볼 때 AI는 상당한 실력이 있다고 인정하지만 언제나 말을 안 듣고 아쉬운 부분이 남아 있는 조수 같다고 할 수 있을까요?

<u>전혜정</u> 그렇죠. 그래서 정말 사람 같은 거예요. 포토샵은 언젠가는 내 말을 완전히 듣고 클립스튜디오도 언젠가는 내 말을 듣는데, AI는 말을 듣지 않기 때문에 오히려 사람 같죠. 인간에게 외주 주는 것과 비슷하기도 합니다. 마음이 맞는 외주자고 빠르고 가성비도 좋고 성격도 좋지만, 항상 좀 아쉽기도 하고. 하지만 그 이상을 바랄 수는 없는 외주자를 상대하는 느낌입니다.

<u>전치형</u> 실력이 있는 건 확실하고 포트폴리오도 좋은데, 나의 의도를 100% 실현해 주지는 못하고 항상 90 정도까지만 하는 외주자, 그리고 행동을 예측하기도 어려운 외주자 같은 AI와 굳이 공동 작업을 해야 할 이유가 무엇일까요?

<u>전혜정</u> 만약 이게 인간이라면 꽤 많은 비용을 지불해야 하는 실력 좋은 외주자에 해당할 거예요. 그런 수준의 외주자는 예전에는 전문가와만 관계를 맺고 협업했었는데, 이제는

그림 한 번도 안 그려본 사람들이 그런 좋은 외주자를 갖게 된 거죠. 생성형 AI가 아직 만화에는 최적화되지 않았지만 다른 영역에서는 상업적으로 쓸 만합니다. 예를 들어 적당한 수준의 광고 그림, 배너, 포스터 디자인 등에는 충분히 납품하고 유통할 수 있을 만큼 만들어 주거든요. 내가 포토샵을 배울 필요도 없고, 월 3만원이면 AI에게 시킬 수 있으니까요.

전치형 항상 90% 정도를 해 주는 AI 외주자를 두면 프로젝트도 하고 납품도 하고 비즈니스도 할 수 있는데, 만약 내가 '인생 최고의 작품'을 하나 만들고 싶을 때 그것을 AI가 성사시켜 주는 정도는 아니라고 이해하면 될까요?

전혜정 네, 그런데 '아이데이션(아이디어 생성)' 관점에서 생각해 볼 필요도 있을 것 같아요. 기획과 발상을 위한 조력이죠. AI한테 100을 완성해 달라고 요구하는 게 아니라 '나는 이런 작품을 할 건데'라는 의도를 설명하고 이 작품의 초안을 계속 받는 겁니다. 백 개든 천 개든 받을 수 있잖아요. 받다 보면 내 마음에 드는 게 있을 테고, 그걸 기초로 내가 영감을 받아서 작업하면 돼요. 얘의 가장 큰 강점은 완성도에 있는 게 아니고 초안을 무한정 제안할 수 있는 능력에 있는 거죠.

생성형 AI는 '사다리 걷어차기' 기술이다: AI 이미지 창작자 전혜정 인터뷰

전치형 B컷(최종 선택되지 못한 이미지)을 끊임없이 만들어 낼 수 있는 상황이군요.

전혜정 내가 만약 A컷(최종 선택된 이미지)을 알고 있는 작가라면, A컷과 B컷을 구분할 수 있는 정도의 작가라면 수없이 많은 B컷 중 제일 마음에 드는 것을 찾아 만족할 수도 있고, 그 B컷을 가져다가 내 작업의 초안으로 사용할 수도 있습니다. 그래서 아이데이션을 하는 데 확실히 유용하긴 해요. 보통 인간이 서너 개 정도 아이디어를 내고 그중 하나를 고르는 식으로 한다면, 이제는 수없이 많은 아이데이션이 가능한 거죠. 말씀드린 대로 AI가 이미 90까지 완성된 초안을 내놓았는데, 거기에 인간이 공을 더 들이지 않고 바로 100이 나오길 기대하는 건 잘 안 됩니다. 91, 92, 89 이런 식으로 자꾸 미끄러져요. 그러나 수많은 AI의 결과물에서 아이디어와 영감을 얻고 완성은 내 손으로 한다면, 그때 AI는 정말 강력한 도구입니다.

전치형 이세돌 사범이 작년에 저와 대담하면서, 자신은 바둑을 예술로서 배워 왔고 자신의 궁극적인 목표는 '명국'을 한 판 두는 것이었는데 그걸 두지 못한 채 은퇴했다고 했어요. 그러면서 알파고 같은 바둑 AI와는 절대 명국이라는 것을 둘 수 없다고 해요. 상대를 존중하고 배려하면서 둘이 함께 한 수 한 수 쌓아 나가는 것이

불가능하니까요. 여기서 '명국'을 하나의 위대한 예술
작품이라고 이해한다면, 그림 작업에서는 어떨까요?

전혜정 작업 과정은 다르겠지만 그 말이 완전히 이해가
됩니다. 인간과 공동 작업을 할 때는 그 작업자와의
인터랙션(상호작용)이 중요해요. 공동 작업을 하는 상대와
싸우기도 하고 소통하기도 하고 상대를 이해하기도 하고
미지의 영역으로 두기도 하고 합을 맞춰 가는 것도 예술의
영역이거든요. 1+1은 2가 아니라 그 이상인 거예요. 내가
그 사람에게 예의를 갖추고 그 사람의 좌절과 승리를
마주하는 것, 또 서로에 대한 존경심과 여러 감정을 가지고
대하는 것, 이 모든 것이 예술로서의 바둑 대국일 텐데,
미술을 하는 미드저니라는 친구와는 그렇게 할 수 없죠.
상대방과 내가 각각 삶의 역사를 가진 인간 대 인간으로서
마주한다는 개념이 없고 그냥 확률과 통계로만 상대를
하는 거죠.

전치형 동등한 상대로서 하나의 대국을 만들어 가는 관계는
아니겠군요.

전혜정 예를 들어 제가 1980년대 한국의 일상을 주제로
해서 그에 대한 영감과 향수를 녹여서 그림을 그리고
싶다면 미드저니를 이용해서 아이디어를 얻을 수는

길 247

있습니다. 하지만 미드저니는 자기 몸으로 쌓은 역사가 없어요. 한국인으로서 살아 본 적도 없고, 영국인으로 살아 본 적도 없죠. 정말 유능한 사전 조사원이지만 나와 같이 1980년대에 관한 예술 작품을 만든다고 보기는 어렵습니다. 인공지능과 함께할 때도 90%까지는 도달할 수 있겠지만, 마지막에 '우리가 뭔가를 해냈어'라는 지점에 도달하려면 서로 알고 싸우고 미워하고 다시 좋아하는 과정을 거쳐 한 그릇을 만드는 건데, 얘는 그게 안 되죠.

전치형 미드저니를 사용해서 만든 그림과 그 창작자의 관계에 대해서 여쭤보고 싶은데요. 미드저니가 만들어 낸 그림을 보고 깜짝 놀랄 만큼 좋았던 경우가 있나요? '내 노트북 컴퓨터상에서 내가 지시하긴 했지만 이토록 멋진 걸 만들다니' 하는 놀라움을 느낄 때가 있나요?

전혜정 미드저니가 몇 번 저한테 만족스러운 그림을 주었습니다. 그런데 저는 그걸 훌륭한 예술이라고까지는 생각하지 않았던 것 같고, 그보다는 기술에 대해 찬탄한 것에 더 가까웠던 것 같아요. 파라미터를 몇 개 썼을지, 어떻게 내 생각을 이렇게 찰떡같이 알아들었는지 궁금하죠. 드넓은 모래사장에서 보석을 발견한 기분, 불가능한 확률을 내가 뚫었다는 통쾌함, 그리고 이걸 만들어 낸 기술자들에 대한 찬탄이 생기지만, 온전히 그림

그 자체의 완성도에서 느끼는 감정은 아닙니다.

전치형 미드저니 작업의 결과물로 나온 이미지를 활용하게 될 텐데요, 클라이언트(의뢰인)가 있으면 납품할 수도 있고 또는 별도의 작품으로 전시할 수도 있겠고요. 그런 경우 그 그림에 '전혜정 작'이라고 표기할 수 있는 것인가요?

전혜정 누군가의 의뢰를 받아서 미드저니로 그림을 그렸을 때는 그걸 제 작품이라고 하지 않습니다. 누가 그렸는지가 중요한 작품이라면 그냥 인간한테 시키는 게 맞겠죠. 제가 미드저니를 사용해서 그릴 때는 누가 그려도 상관 없고 그냥 하나의 구성요소로 쓸 수 있는 것을 만드는 경우입니다. 그래서 '전혜정 작'이라고 쓰지 않아요.

전치형 어떤 경우에 어떤 이유로 '전혜정 작'이라고 쓰기가 꺼려지나요?

전혜정 '전혜정 작'이라고 하기보다는 '내가 미드저니를 이용해서 만들었다' 정도의 표기는 할 수 있겠죠. '미드저니를 이용해서 만듦' 정도입니다.

전치형 작가보다는 디렉터에 가까운가요?

생성형 AI는 '사다리 걷어차기' 기술이다: AI 이미지 창작자 전혜정 인터뷰

전혜정 네, 디렉터랑 비슷한 거죠. '디렉팅 전혜정' 또는
'AI 이미지 도움 전혜정', 'AI 이미지 생성 전혜정' 이런
식입니다. 만약 표지 이미지를 만들었다면 'AI 표지 도움
전혜정' 정도로 쓰고요.

전치형 왜 그렇게 표기하게 될까요?

전혜정 작품이라고 하기에는 내가 완벽하게 통제하고 있지
않기 때문입니다. '통제하지 못함'이라는 개념 자체를
예술의 일부로 끌어들이려는 의도가 아니라면, 거기에
'내 작품'이라고 쓰지 않을 것 같아요. 잭슨 폴록이 물감을
뿌리는 액션 페인팅을 하는 것이나 우연적인 이미지를
발생시켜 비디오 아트를 하는 정도로 예술 개념을
적극적으로 사용하지 않는다면, 미드저니 이미지는 내가
완벽하게 통제해서 만든 나의 예술 작품이라고 부르기엔,
저는 어려웠습니다.

전치형 미드저니 그림이 상업적 목적이 있는 프로젝트의
재료나 일부로 쓰이는 맥락에서는 '이것은 내
작품이다'라고 말하기보다는 'AI 이미지 생성 전혜정'이라고
표현하는 것이 이해가 되는데요, 단지 그러한 활용의 맥락
때문에 그러는 것인지 아니면 정말로 '이 그림은 내가 만든
것이다' 하는 느낌이 없어서 그러는 것인지 궁금합니다.

250

전혜정 그런 느낌이 정말 없다기보다는 내가 클라이언트의
요구에 맞춰 이미지를 찾아 주는 탐정 같은 역할을 했다고
생각해서 그렇습니다. 그분은 이런 이미지를 원했고,
저는 AI가 그것을 만들기 위해서는 어떤 프롬프트를
써야 하는지 감이 있고, 그래서 저는 수사를 해서 찾아 준
것이죠. 잃어버린 이미지를 찾아 주는 것처럼.

전치형 그 클라이언트 입장에서는 작가에게 의뢰해서
작품을 받았다기보다는 '이런 느낌의 것이 필요한데
미드저니라는 넓은 바다 속에서 좀 찾아 주세요'라는
부탁을 하는 것이군요.

전혜정 네, 흥신소와 비슷하게요. 유튜브 표지를 만들어야
한다면 유튜브의 대본이나 영상을 보고 거기에 맞는 한
컷을 만들어 주거든요. '찾으시는 분이 이분이죠?' 이런
식으로.

전치형 흥신소 비유가 머리에 잘 들어오네요.

전혜정 흥신소도 고객이 원하는 것을 찾아 주는
서비스잖아요. 만약 AI 이미지 작업을 예술로서 해야
한다면 잭슨 폴록처럼 새로운 예술 개념이 있든가 아니면
AI의 도움을 받되 모든 과정을 내가 주도할 수 있어야

길 251

하겠죠. 기획하고, 시나리오 쓰고, 결과물 최종 수정까지 내가 다 할 수 있다면, 그리고 그 중간 단계에서 품이 많이 들어가는 부분을 AI로 대체한다면, 그때는 작품에 '전혜정 작'이라고 쓸 수 있을 것 같습니다. 'AI의 도움을 받아 내가 창작했다'가 아니라 '누군가 원하는 것을 내가 AI로 찾아줬다'라는 느낌일 때는 '전혜정 작'이라는 말을 안 쓸 것 같습니다.

전치형 결과물을 어떤 목적으로 쓰는지에 달라지는 것 같습니다. 미드저니 이미지를 프린트해서 갤러리에 거는 등 통상적인 미술 작품 전시와 유통의 경로를 밟는 것이 불가능하다거나 옳지 않다는 입장은 아니군요.

전혜정 정확한 기획이 있고 저작권 등 문제가 없음이 확인된다면 충분히 할 수 있는 일이라고 생각해요.

전치형 만약 프롬프트 한 번으로 딱 나온 이미지라고 해도 그것을 크게 프린트해서 갤러리에 걸고 '전혜정 작'이라고 쓰는 데에 거리낌이 없을까요?

전혜정 물론 마지막에 저작권 검수는 필요하겠죠. 예를 들어 저의 경우, 결과물을 구글에 올려서 유사 이미지 검색을 해서 비슷한 이미지가 안 나오는지 확인해 봅니다. 만약 유사 이미지가 나온다면 어떤 작가 작품과 너무 닮았다는 것이기 때문에 그건 빼 버리겠죠.

전치형 마치 가수들이 노래를 녹음한 다음 발표하기 전에 이 곡이 표절인지 아닌지 한번 검증하는 것과 비슷하게 들리는데요. 하지만 생성형 인공지능의 비판자들은 그런 검증을 거치더라도 과연 그것을 '전혜정 작'이라고 할 수 있을지에 대해 회의적일 것 같습니다.

전혜정 그림에 대한 오해도 좀 섞여 있는 것 같아요. 순수 회화 쪽에서는 많은 화가들이 그림을 처음부터 끝까지 자기 손으로 그리긴 합니다. 하지만 예술의 목적에 따라 자신은 그리지 않고 제자나 조수, 아르바이트를 시킬 수도 있어요. 많은 사람들은 모든 창작물을 크레딧에 표기된 작가가 다 만드는 줄 알죠. 예를 들어 웹툰을 전혀 모르는 사람은 웹툰에 나오는 군중이나 배경까지 사람이 다 그리는 줄 알아요. 그런데 스크린톤, 말풍선, 효과음, 효과선, 브러시, 3D 소품, 주얼리, 배경, 건물, 군중 등등이 다 에셋(asset)으로 거래되고 있거든요. 디자인도 마찬가지고요. 디자인 포맷, 자주 사용되는 사진, 영상 클립, 장식물 등의 벡터 이미지 등이 다 에셋으로 있습니다. 그걸 사서 쓰는 건 흔하죠. 생성형 인공지능이 나오기 전부터 온라인으로 다양하게 제공되는 그런

생성형 AI는 '사다리 걷어차기' 기술이다: AI 이미지 창작자 전혜정 인터뷰

에셋을 창작자들이 이미 많이 사용하고 있다는 사실을 생각해 보면, 사람이 처음부터 끝까지 모두 자기 손으로 그려야만 예술 작품이라는 생각은 다소 맞지 않죠. 만약 미술에서는 조수에게 모든 걸 시키고, 많은 디자이너들이 대부분 에셋 스토어에서 전부 사다가 배치한다면, '그럼 사람은 뭘 직접 그리냐'라고 물을 수 있겠죠. 하지만 창의성은 그림 기술에서만 나오는 것도 아니고, 직접 그리는 것에서만 나오는 게 아닙니다. 아니잖아요. 발상도, 기획도, 배치도 다 사람의 창의성입니다. 뒤샹의 변기나 마우리치오 카텔란이 벽에 붙인 바나나는 예술이 될 수 없는 거죠. 변기나 바나나를 예술가가 만든 게 아니잖아요. 그것을 어떤 개념으로 예술로 삼고자 하는 기획에 창의성이 있습니다. 예술의 종류에 따라 개념과 기획이 이 사람에게 있다면, 그림은 조수가 다 그려도 되거든요. 물론 미드저니를 써 놓고도 내가 다 그린 것처럼 하면 안 되겠죠. 하지만 전혜정이 디렉션(지휘감독)을 하고, 미드저니가 이만큼 뽑아 냈고, 후처리를 이렇게 했고, 이런 식의 전 과정이 공개되고 합의된 상황에서는 기획 의도가 무엇인지에 따라 충분히 이것을 '작품'이라고 말할 수 있을 것 같습니다.

전치형 '전혜정 작, LG 노트북에 미드저니', 이런 느낌이겠네요. '캔버스에 유화', 이렇게 쓰는 것처럼.

254

전혜정 그렇죠. 그때 내가 전시하고 싶은 것은 단지 그림의 완성도가 아니라 나의 기획과 디렉션, 그 결과물을 내가 선택한 안목, 그것을 선택한 이유와 의도라고 할 수 있습니다.

전치형 그런 기획으로 미드저니 작품을 내어놓는다면 그에 대한 비평도 '전혜정 작가'에 대한 평가로 받아들여야 하겠고요.

전혜정 네, 아마 지금까지의 비평과 달라질 겁니다. 제가 생성형 AI 작품 공모전에서 심사를 하고 심사평도 쓴 적이 있는데, 프롬프트와 기획 의도를 달라고 했어요. 프롬프트와 기획 의도를 보면 작가가 여기까지 도착하기 위해 어떤 시도와 노력을 했고, 어떤 안목으로 많은 B컷들 중 이걸 뽑아냈는지 한꺼번에 볼 수 있습니다. 그러니까 미드저니 같은 생성형 AI로 전시를 하려면 못할 이유는 없지만 이것을 기존의 평론으로 다룰 수는 없을 겁니다.

전치형 미드저니를 사용한 작품을 평가할 때 왜 기획 의도나 프롬프트까지 봐야 한다고 생각하시나요? 최종 완성된 그림만 보고 평가할 수 없나요?

전혜정 기존 미술 작품을 심사할 때도 기획 의도를 봅니다.

길 255   생성형 AI는 '사다리 걷어차기' 기술이다: AI 이미지 창작자 전혜정 인터뷰

심사위원에게 기획서를 내죠. 그림을 평가할 때 그림 자체의 완성도만 보는 게 아니라 기획의 참신함, 아이디어, 스타일, 제목까지 많은 것을 보게 됩니다. 미드저니 같이 생성형 AI 작품을 평가할 때 프롬프트까지 보는 것은, 하나의 기획 의도를 가지고 그림을 만들기 위해서 어떤 기술을 썼는지 보려는 것이죠. 프롬프트를 보자고 하면 작가들이 당황하기도 해요. 사실 프롬프트 그대로 나오는 그림은 별로 없거든요. 프롬프트는 언제나 미끄러지고, 그러면 얘랑 대화가 잘 안 된다고 느낍니다. 특히 기획 의도가 복잡하다면 프롬프트를 아무리 잘 만들어도 기획대로 안 나와요. 이런 불일치 사이에서 항상 고민하는 것이 AI 작가의 숙명이거든요. 그 과정을 같이 보는 것도 비평이 될 수 있겠죠.

전치형 AI를 사용하는 작가의 숙명이군요.

전혜정 정확한 기획 의도와 깔끔한 프롬프트와 완성도 높은 결과물, 이 삼박자가 갖춰졌을 때 박수가 나오는 거죠. 이거 잘 나왔다, 정말 낮은 확률을 뚫고 제대로 나왔다.

전치형 오늘 얘기를 나누다 보니, 그동안 많이 들었던 'AI가 예술 창작을 할 수 있느냐', 'AI 작품에 창의성이 있느냐'와 같은 질문에서 한 발 더 나아가는 논의가 필요한 것 같습니다.

전혜정 AI가 예술가가 될 수 있나, 창의성이 있나, 이런 질문은 그림을 잘 모를 때 나오곤 합니다. 창작자들은 조금 다른 논의를 해야 합니다. 단순한 거부감을 가질 것도 아니고, 또 좀 더 똑똑한 포토샵 같은 게 아니냐 하며 깎아내릴 것도 아니고. 장점, 단점, 위험을 모두 아는 상태에서 창작자들의 얘기를 해 보자는 거죠.

전치형 AI가 예술가가 될 수 있는지 묻기보다는 AI가 내놓은 결과물을 누가 어떤 맥락에서 어떤 방식으로 평가하고 활용할 것인지 물어야 할 것 같네요. AI 그림을 갤러리에 전시품으로 걸 때와 의뢰인의 프로젝트에 필요한 제품으로 공급할 때 그 평가 기준과 창의성의 정의가 다르겠고요.

전혜정 또 누가 쓰는지에 따라 같은 AI도 다르게 느껴지거든요. 작업의 도구일 수도 있고, 파트너일 수도 있고, 나를 대체하려는 무서운 존재일 수도 있고. 그래서 논의가 자꾸 뒤섞이는 경향이 있어요.

전치형 여기 청강문화산업대 학생들은 생성형 AI에 대해 어떻게 생각하나요?

생성형 AI는 '사다리 걷어차기' 기술이다: AI 이미지 창작자 전혜정 인터뷰

전혜정 학생들은 기본적으로 AI를 좋아하지 않습니다. 저희 학생들은 아주 높은 경쟁률을 뚫고 들어온 창작자들이니까 자신의 스타일을 찾아서 자기 그림을 그려야 한다는 마인드가 있거든요. 그런데 갑자기 AI가 대세라고 하면 모욕감, 적대감을 느끼는 거죠. AI가 인간 작가들의 그림을 훔친다는 생각도 있고요. 지금껏 배웠던 거랑 전혀 다른 방식으로 움직인다는 것이 전문가가 되려는 학생들한테는 불쾌한 일일 수 있죠.

전치형 그래도 젊은 학생들이니 빠르게 잘 익혀서 사용하지 않을까요?

전혜정 글이든 그림이든 AI로 생성한다는 것은 원래 자기 실력이 없으면 그냥 독이더라고요. 이전에는 새로운 기술이 나오면 젊은 사람들이 빨리 적응하고 시니어들은 도태될까 봐 새로운 기술을 익히려고 노력했잖아요. 그런데 처음으로 시니어한테 더 유리한 기술이 나타났다는 생각이 듭니다.

생성형 AI를 잘 쓰려면 이것에게 무엇을 시켜야 할지 아는 기획력, 나온 결과물을 보고 판단할 수 있는 안목 등이 수반되어야 하는데, 자기 글을 쓰고 자기 그림을 그리는 기술이 없을 때는 무엇이 잘못되었는지도 모르고 그저 갖다 주는 대로 쓰는 것이죠. 결과물에

도착하기까지의 전 과정을 경험해 본 사람만 알 수 있는 디테일이 있잖아요. 그런 경험이 없는 채로 결과물만 받아 쓰면 모든 게 '느낌적인 느낌'으로만 돌아가는 거예요. 그러면서 자기가 이걸 다 통제하고 있다고 믿는 거죠. 들여다 보면 디테일에서 틀린 것들이 있는데 그걸 발견할 수 있는 안목이 없는 상태에서 써요. 그걸 시니어들이 발견하고 고치죠.

기본 소양이 없는 채로 AI로 글쓰기나 그림 그리기 훈련을 해 버리면 생성형 AI라는 것은 그저 '사다리 걷어차기' 기술이 될 겁니다. 주니어를 배제하는 기술이라는 것이죠. 이들은 높은 수준까지 훈련이 안 된 상태에서 뭐가 문제인지 모른 채로 그냥 적당히 AI를 쓸 줄 아는 사람이 될 거예요. 확실한 전문가가 되지 못한 상태에 머무는 거예요. 그래서 우리 학교에서는 AI 활용에 대한 교육은 최대한 조심스럽게 접근하고 있습니다. AI 기술이 어디까지 와 있는지도 물론 알아야 하겠지만, 처음부터 AI를 써서 결과물부터 뽑는 것에는 조심스러울 수밖에 없습니다. 새로운 교육 과정을 짤 때 AI 관련 내용을 집어넣기는 하지만, 입시 때는 여전히 종이에 그린 그림을 봅니다. 기본기가 있는 학생을 뽑아야 하는 거죠.

전치형 생성형 AI가 '사다리 걷어차기' 기술이라는 얘기가 흥미로운데요, 미술과 디자인 분야 전문가들 사이에 널리

생성형 AI는 '사다리 걷어차기' 기술이다: AI 이미지 창작자 전혜정 인터뷰

공유되고 있는 생각인가요? 누구나 빠르게 올라가도록 '사다리를 놓아 주는' 기술이라고 생각하는 분들도 많을 것 같은데요.

전혜정 '사다리 걷어차는 기술'이라는 생각에 공감하시는 분들도 있고, AI는 실력이 부족한 사람도 자기 실력을 넘어서는 콘텐츠를 만들 수 있게 해 주는 유용한 도구라고 생각하시는 분들도 있죠. 사다리를 걷어차는 행동은 이미 먼저 사다리를 타고 오른 사람이 하는 거예요. AI는 이미 올라가 있는 시니어가 사다리를 걷어차서 주니어들이 오를 수 없게 만드는 결과를 낳을 수도 있다는 의미입니다. 그러나 내가 어느 정도의 실력이 있다면 AI는 나를 위한 사다리인 거죠.

전치형 사다리 정도가 아니라 아예 에스컬레이터를 깔아 주는 것이라고 생각할 수도 있겠네요.

전혜정 에스컬레이터를 타고 올라갔을 때 거기에 뭐가 있을지 상상하지 못하는 사람은 에스컬레이터가 눈앞에 있어도 탈 수가 없습니다. 강아지나 고양이가 에스컬레이터가 무서워서 못 타는 것과 비슷하죠. AI를 가지고 내가 원하는 콘텐츠를 누구나 만들 수 있다고 하지만, 그 말의 전제는 내가 원하는 콘텐츠가 무엇인지 내가 안다는 것입니다. 주니어 창작자들은 그게 없거나 막연하게만 있어요. 그리고 싶은 게 없고 만들고 싶은 걸 잘 모르는데 계속 AI한테 시키기만 하는 거죠. 하지만 AI는 뾰족한 걸 해 주지 못하거든요. 내가 뾰족해야 쟤도 뾰족해지는데 시키는 사람이 뭉툭한 상태이면 쟤도 뜬구름 잡는 소리만 한단 말이에요.

전치형 가령 자기가 무엇을 보여 주고 싶은지 확실히 알지 못하는 웹툰 작가가 AI에 의존하면 독자에게 별 감흥을 주지 못하는 뭉툭한 작품이 나오겠군요.

전혜정 생성형 AI 초기에 환호했던 사람들은 창작자보다 독자들이 더 반감을 가질 수 있다는 사실을 미처 몰랐던 것 같습니다. 독자는 작가와 소통하고 싶지 누군가 생각 없이 만든 것 같은 결과물을 무작정 소비하고 싶지 않잖아요. 언젠가 기술이 더 좋아져서 AI가 웹툰을 만들 수 있을 거라고 하는데, 사실 창작 웹툰이라는 건 작가와 독자의 상호작용이고 이세돌 사범이 말한 것처럼 예의와 존중을 갖추고 서로 삶을 섞고 부딪치는 예술이거든요. 작품을 가지고 작가와 소통하고 싶은데 그 상대가 그냥 AI일 뿐이라면 독자들도 화가 나는 거예요. 수준 낮은 쓰레기 같은 웹소설을 이미 AI가 수없이 쓰고 있어요. 하지만 좋은 웹소설은 결국 작가가 씁니다. 왜냐하면 독자는 작가랑

생성형 AI는 '사다리 걷어차기' 기술이다: AI 이미지 창작자 전혜정 인터뷰

소통을 해야 하니까. 독자는 작가의 생각과 심리를 알고 싶어 하니까요.

<u>전치형</u> 앞으로 어릴 때부터 AI를 익히고 그에 의존하는 태도를 형성한 학생들이 이 학교에 들어오거나 다른 미대에 들어가게 될 것에 대해 우려하는 마음은 없나요?

<u>전혜정</u> 사실 우리 학교에 올 학생들을 걱정하지는 않습니다. 청강에 입학할 정도면 AI가 대세인 시대가 되더라도, 그리고 그것을 많이 활용하게 되더라도, 어떻게 해서든 자신이 더 좋은 작가, 더 좋은 창작자가 되기 위해 고민하고 **뼈**를 깎는 것이 당연하다고 여기는 친구들이거든요. 그래서 우리 학생은 별로 걱정하지 않습니다. 앞으로 AI 때문에 고생은 좀 하겠지만 그들은 스스로 사다리를 오르려고 할 거예요. 젊은 세대 중 제가 걱정하는 이들은 대충 AI 써서 빠르게 광고 문구 만들어 볼까, 나는 그림 못 그리지만 AI 써서 한번 그려 볼까, AI로 대본 만들어서 숏츠나 뽑아서 돈이나 벌어 볼까, 이렇게 쉽게 AI를 적용해서 빨리 결과물을 만들어 내고는 만족하는 친구들이에요. AI가 그 다음에 대체할 대상이 이런 친구들입니다. AI가 더 발전한다면 곧 시니어들도 대체될 수 있겠지만, 이것도 받아들여야겠죠.

전치형 마무리하는 질문 두어 개만 더 드리겠습니다. 누구나 그리고 싶은 것이 있으면 AI로 쉽게 구현해 볼 수 있는데도 굳이 AI를 돌려서 그리고 싶지는 않은 그림이 있을까요? 전시 목적이든 납품 목적이든 왠지 AI에게 시키는 것이 꺼려지는 그림?

전혜정 인간의 몸으로 해야만 의미 있는 그림들이 있습니다. 예를 들어 불화(佛畵) 같은 거죠. 당연히 AI로 비슷하게 뽑을 수 있겠지만 왜 굳이 그렇게 하겠어요? 하나하나 기도하듯이 그리는 게 불화잖아요. 불화의 어떤 선을 깔끔하게 뽑기 위해 장인들은 정말 오래 노력합니다. AI가 불화를 아무리 예쁘게 뽑아 내도 그것에는 불화로서의 가치가 없습니다. 인간의 몸으로 하는 것 자체가 의미 있는 작업들은 AI를 쓸 이유가 없죠.

전치형 누구나 쉽게 이미지를 만들 수 있게 되면서 세상이 온갖 이미지로 넘쳐나고 있는데요, 이것을 이미지 생산의 민주화라고 표현할 수도 있겠지만 아무도 보지 않을 의미 없는 이미지들로 세상이 혼탁해졌다고 볼 수도 있을 것 같습니다. 어떻게 생각하시나요?

전혜정 둘 다라고 생각합니다. 모든 것에 순기능만 있을 수는 없으니까요. 텍스트와 정보 생산이 민주화되면서

생성형 AI는 '사다리 걷어차기' 기술이다: AI 이미지 창작자 전혜정 인터뷰

그 결과로 세상을 혼탁하게 하는 가짜뉴스도 나왔어요. 모든 사람이 그림을 마음대로 만들고 뿌릴 수 있을 때, 그중 대부분이 쓰레기인 건 너무 당연한 일입니다. 이제 이미지가 귀하지 않고 쓰레기도 많고, 이미지 불감증도 생기죠. 그러면서 이제 진검승부가 시작될 겁니다. 진짜 좋은 그림을 알아보는 사람과 그걸 만들어 낸 사람만 살겠죠. 수많은 책 중에 정말 괜찮은 책이 있는 것처럼, 또 수많은 가짜뉴스 사이에서 진짜를 알아보는 사람이 있는 것처럼요.

전치형 마지막으로 '나에게 미드저니란 이것이다'라고 규정해 볼 수 있을까요?

전혜정 저한테는 '말을 안 듣기 때문에 재밌는 장난감'인 것 같습니다.

전치형 말은 안 듣지만 재미가 있어서 계속 쓸 것 같다는 말씀이죠?

전혜정 미드저니는 길들이기 어려운 사냥감이고 저는 그걸 길들이는 조련사인 거죠.

전치형 아직 길들여 가는 과정이고요.

264

전혜정 앞으로도 완벽하게 길들일 수는 없을 겁니다. 소설 『초한지』에서 항우가 어느 지역을 지나다 야생마를 하나 만났어요. 원래 개천의 흑룡이었다고 하는데, 그 말이 너무 거칠고 난폭해서 아무도 길들인 사람이 없다고 했어요. 그 말을 결국 항우가 길들이는 데 성공했고 항우는 이 '오추마'를 타고 전장을 달렸어요. 그러니까 용이었던 것이 사람이 탈 수 있는 야생마가 됐는데, 이제 누가 항우가 될 것인가? 생성형 AI를 놓고 우리가 이런 상태에 있는 것 같습니다.

길 265 생성형 AI는 '사다리 걷어차기' 기술이다: AI 이미지 창작자 전혜정 인터뷰

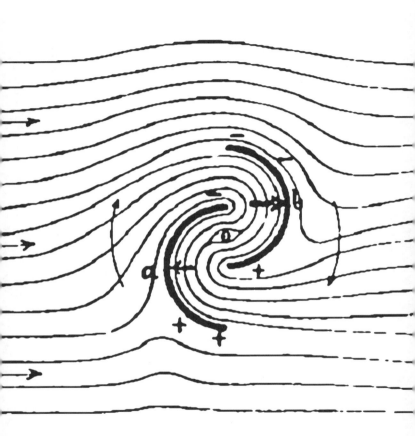

희 박 기 체 와
다 양 성

전은지 카이스트 항공우주공학과
교수. 미국 Michigan대학에서
박사학위를 취득하였고 삼성
SDI, 독일 DLR, 영국 Edinburgh
대학에서 연구원으로, Hawaii
대학에서 교수로 일했다. 대기권
재진입 발사체, 행성 탐사 등에
필요한 극초음속(Hypersonic)
환경에서의 열/공력 특성 등
열/유체, 그 중 일반적인 상황이
아닌(우주에서는 일반적인) 희박
밀도 상태의 다양한 현상을 해석적
방법으로 연구하고 있다.

길

1. 유체역학

내 연구분야는 크게 보아 유체역학에 속한다. 유체(流體, Fluid)는 액체, 기체, 플라즈마와 같이 흐를 수 있는 물질의 상을 의미하며, 역학(力學, Dynamics)은 물체의 운동에 관한 법칙을 연구하는 학문이다. 그렇다면 유체역학은 유체의 운동에 관해 연구하는 학문이라고 할 수 있다.

유체에 대한 인류의 호기심은 오래되었다. 강에 물이 흐르거나, 바닷물이 넘실거리거나, 혹은 바람이 부는 것을 눈과 피부로, 직관적으로 보고 느낄 수 있었기 때문일 것이다. 고대 그리스 철학자 헤라클레이토스는 '판타레이'(만물유전-모든 것은 흐른다)를 이야기했고, 아리스토텔레스는 지상의 모든 물체가 물, 불, 공기, 흙의 조합으로 이루어져 있고, 우주의 천체들은 '제5원소'라 불리는 유체 에테르로 구성되어 있다고 보았다. 14세기까지 이렇게 "유체의 흐름"으로 세상 만물을 이해해 보려는 시도가 이어졌다.

공과 같이 경계가 명확한 물체에 힘을 가해 그것이 어떻게 물체의 운동을 바꾸는지보다 유체의 운동을 이해하기가 더 어렵다. 정확한 경계를 정하기 쉽지 않기 때문이다. 유체의 움직임을 이해하기 위한 연구는 오랫동안 지속되었다. 15세기 인류가 맞이한 대항해 시대와 그 뒤를 이은 르네상스와 산업혁명 시대에 걸쳐 유체역학은 눈부시게 발전한다. 대항해 시대에 바다를 무사히 건너기 위해서는 튼튼하고 빠른 배가 필요했을 것이며, 산업혁명 시대에는 증기기관과 펌프가 개발되었다. 이를 위해서는 어떻게든 유체의 움직임을 이해해야 했을 것이다.

수많은 학자들이 매달린 끝에 18, 19세기에 이르러 유체의 흐름을 수학적으로 모델링할 수 있게 되었다. 유체의 흐름을 지배하는 '식'을 인류가 가지게 되었다는 뜻이다. 오일러(Euler) 방정식과 나비에-스토크스(Navier-Stokes) 방정식이 그것인데, 이 두 방정식은 인류가 배와 자동차 그리고 항공기를 만들게 한 결정적인 연구 성과로 꼽을 수 있다.

나비에-스토크스 방정식은 오일러 방정식에서 한 걸음 더 나아간 형태의 수학모델이다. 점성항이 추가된 것이다(이 하나의 점성항이 추가된 식이 완성되는 데 무려 100년의 시간이 걸렸다). 두 식 모두 편미분방정식으로, 손으로(해석적으로) 이 식을 풀 수 없다. 컴퓨터가 사용되기 시작한 21세기에 들어서야 이 방정식들의 해를 컴퓨터를 사용해서 구하는 시도가 이어졌다. 이것이 하나의 연구 분야로 자리 잡았으며 그것을 'Computational Fluid Dynamics'(CFD, 전산유체역학)라고 한다.

희 박 기 체 와
다 양 성

2. 희박유동과 볼츠만 방정식

나비에-스토크스 방정식은 우리가 알고 있는 유동(流動)현상 대부분을 설명할 수 있다. 물과 공기의 흐름이 그 대표적인 예다. 그런데 나비에-스토크스 방정식이 가지고 있는 '연속체 가정'은 말 그대로 유체가 연속체라고 가정하는 것이다. 언뜻 생각하면 그것이 맞는 것 같지만 사실은 그 어떤 물체도 연속체일 수는 없다. 모든 물체는 입자로 구성되어 있기 때문이다. 개수가 매우 많은 입자가 높은 밀도로 모여 있으면, 마치 연속체처럼 존재한다. 우리가 알고 있는 모든 고체와 액체가 그런 상황에 부합한다.

기체는 어떠한가? 기체의 밀도는 고체와 액체에 비해 상대적으로 낮다. 그렇다면 기체는 연속체가 아닌가? 대답은 '연속체로 가정할 수도 있고 연속체로 가정하지 못할 수도 있다'가 될 것이다. 밀도에 따라서 연속체로 가정할 수 없는 상황이 존재하는 것이다. 언제 그럴까? 대표적으로 기체의 밀도가 매우 낮은 상황을 생각해 볼 수 있을 것이다. 지구 해발고도 400km 정도를 생각해 보자. 이곳에서는 국제우주정거장(International Space Station, ISS)과 허블우주망원경(Hubble Space Telescope, HST)가 임무를 수행하고 있다. 대기의 밀도는 매우 낮지만, 아직 진공에 도달하지는 못한 상태다. 이곳의 유동을 어떻게 수학적으로 모델링할 수 있을까? 위에 언급한 나비에-스토크스 방정식은 이러한 저밀도 유동을 정확하게 구현하지 못한다. 더 이상 유동을 연속으로 가정하기에는 밀도가 매우 낮기 때문이다.

인류의 관심은 주로 '내 주변의 것들'에서 시작되었다. 그렇기 때문에 유동의 지배방정식은 우리가 늘 경험하는 지구의 대기권과 중력권 안에서 유동의 흐름을 모사할 수 있는 오일러와 나비에-스토크스에서 시작하였다. 인류가 우주로 나가게 되면서 이 연속체 가정을 할 수 없는 기체의 흐름에 대해서 반드시 생각해야만 하는 때가 왔다. 1950년대 미국과 (구)소련의 우주개발 경쟁이 본격화되면서 인류는 우주로 나갈 수 있는 탈것(우주선, space vehicle)을 만들어야 했다. 이 우주선이 경험할 환경을 예측할 수 있어야, 임무를 수행하는 동안 파손되지 않고 우주선 내부의 중요한 것(위성, 로봇 혹은 사람)들을 보호할 수 있으니 우주선이 경험할 유동 환경도 알아야 했다. 우주에서 경험하는 유동은 지구에서의 경험과는 극명하게 달랐다. 속도가 아주 높았고(우주왕복선의 최대 속도는 마하 25에 달한다. 극초음속이라고 부른다), 밀도가 매우 낮거나 혹은 짧은 시간 안에 큰 밀도 변화를 겪었다. 실험을 하기에는 너무나도 구현하기가 힘든 유동이었다. 계산해서 예측해야 했다.

길 271 희박 기체 와 다 양 성

이렇게 연속체 가정을 쓸 수 없는 경우에는 좀 더 근본적인 입장에서의 운동방정식이 필요했다. 19세기 후반 루트비히 볼츠만(Ludwig Boltzmann)이 기체의 거동을 통계역학적으로 설명하기 위해 유도한 '볼츠만 방정식'이 있다. 이것의 해를 구할 수 있다면 나비에르-스토크스 방정식으로 이해하고 예측할 수 없었던 유동을 구현할 수 있게 된다. 볼츠만 방정식 역시 손으로(해석적)으로 풀 수 없는 식이기 때문에 컴퓨터를 사용한 근사적 방법이 필수적이었다. 여러 가지 수치적 방법이 존재하지만, 그 중 몬테카를로 직접모사법(Direct Simulation Monte Carlo, DSMC)이 가장 널리 쓰인다.

3. 볼츠만 방정식과 DSMC

유동의 밀도가 낮아지면 그것을 "희박하다"고 말할 수 있다. "얼마나 희박한가?"를 말하기 위해서 Kn수(Knudsen number, Kn)을 사용한다. Kn수는 분자 간 평균 자유 경로( )를 물체의 특성 길이(L)로 나눈 값이다.

$$Kn = \frac{\lambda}{L}$$

이 Kn수가 매우 작으면 유동은 연속체로 가정할 수 있지만, 이 숫자가 커질수록 유동은 비평형 유동에 가까워진다.

미시적으로 입자의 충돌을 직접 기술할 수 있는 볼츠만 방정식은 연속체 영역부터 비평형 영역까지 모든 Kn수에 적용이 가능한 방정식으로, 다음과 같이 표현된다.

$$\frac{\partial f}{\partial t} + c_j \frac{\partial f}{\partial x_j} = \int_{R^3} \int_0^{4\pi} \left(f^* f_1^* - f f_1 \right) g \sigma d\Omega d\vec{c_1}$$

볼츠만 방정식의 좌측은 입자의 이동을 기술하고, 우측은 입자 간의 이중 충돌을 기술한다. 다음 그림은 Kn수에 따른 지배방정식을 보여준다. Kn수가 매우 작은 영역에만 나비에를 스토크스 방정식이 유효한 반면 모든 Kn수에 대하여 볼츠만 방정식이 유효함을 알 수 있다.

　　　볼츠만 방정식은 충돌항(우변의 항)의 복잡성으로 인해 직접 풀 수 없고, 수치적 해를 DSMC 방법을 통하여 구할 수 있다. DSMC 방법은 계산 공간 내에 여러 개의 가상의 입자를 생성한다. 하나의 가상 입자는 많은 수의 현실 기체를 대표할 수 있다. 한 시간 간격 내에 입자의 이동과 충돌이 독립적으로 수행된다. 입자의 이동은 등속 운동을 가정하여 이동시킨다. 그리고 입자 간 충돌은 직접적으로 입자가 부딪히는 것이 아니라, 확률적으로 다루어진다는 것이 특징적이다. 격자 내 임의의 두 입자를 선택하고, 입자가 충돌할 확률과 랜덤 숫자를 비교하여 충돌 여부를 판단한다. 두 입자가 충돌하는 경우, 충돌 후 입자의 속도는 충돌 모델에 따라

희박 기 체 와
다 양 성

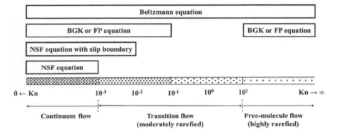

Kn수에 따른 지배방정식

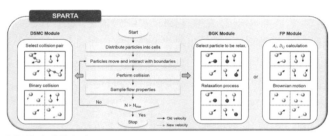

DSMC의 계산 순서도

결정된다. DSMC는 공간에 분포하는 입자들을 직접 충돌시킨다는 점에서 볼츠만 방정식의 현상학적 해라고 할 수 있다. 다음 그림은 DSMC의 계산 순서도를 보여준다.

4. REAL GAS EFFECT를 모사하기 위한 노력

공기역학 연구자들은 실제 물리현상을 지칭하는 'real gas effect'라는 단어를 쓴다. "아니, 공기역학을 연구한다면 당연히 실제 물리현상을 모사해야 하는 거 아니야?"라고 생각할 수 있겠지만, 우리는 아직 그 지점에 가지 못했다. 실제 일어나는 현상 모두를 이해하고 또 예측하기 위해 알아야 할 것들이 너무나도 많기 때문이다.

예를 들어 지구 재진입 비행체를 생각해 보자. 지구 재진입 비행체는 매우 높은 속도와 밀도 변화를 경험하기 때문에 진입체 표면 온도가 몇천 도까지 올라간다. 이러한 온도를 견뎌야 하기 때문에 열 방어 시스템(Thermal Protection System, TPS)이 필수적이다. 세라믹처럼 높은 열에 잘 견디는 물질이 쓰일 수 있고 또는 열을 받으면 쉽게 승화하는 물질을 써서 표면 온도가 높이 올라가지 않게 조절하는 삭마(ablation)와 같은 방법들도 쓰인다. 이 높은 온도에서는 복잡한 물리현상이 일어난다. 화학반응이 일어나고, 중성입자가 이온화되어 플라즈마가

길 **275**   희박 기체와
다양성

될 수 있으며, 복사가 중요한 열전달 방법이 된다. 이러한 현상을 이해하기 위해 물리 모델들이 계속 개발 중이다. 다시 말해 아직 정확히 모사하지 못하고 있다는 말이다.

또 다른 예로 희박한 기체와 고체 혹은 액체와 섞여 있는 상황을 생각해 보자. 달이나 화성의 착륙선은 연착륙을 위해서는 표면 근처의 속도가 거의 0에 가까워야 한다. 그러기 위해서는 표면 근처에서 로켓을 사용하여 강하게 역추진을 걸어준다. 이때 로켓 노즐에서 나오는 플룸 유동은 달이나 화성 표면의 고운 모래 입자(regolith)와 만나 큰 먼지폭풍을 일으킨다. 이때 떠오른 고체 입자들(먼지)이 착륙선에 닿으면 고체입자의 크기나 속도에 따라 착륙선을 파손시키거나 고장 낼 가능성이 있다. 이와 같은 문제점들을 이해하고 대비하기 위해서는 희박한 기체에 고체 혹은 액체가 섞인 유동을 해석할 수 있어야 한다.

언뜻 생각해도 매우 복잡한 유동이 아닐 수 없다. 기체와 고체 혹은 액체까지 섞여 있는 유동을 해석하려면 기체-고체, 기체-액체, 고체-액체의 상호작용을 이해해야 한다. 온도에 따라 고체, 액체, 기체의 상은 변화도 가능하다. 모든 현상에 대해 각각 물리 모델이 존재해야 함은 물론이고, 그것을 컴퓨터로 효과적으로 풀 스킴(scheme)하는 것 또한 필요하다. 몇 개의 물리 모델과 결과가 존재하지만 아직 수많은 가정을 사용하고 있다.

AI 생성 이미지

길 277

희 박 기 체 와
다 양 성

물리적 가정이 많다는 건 아직 구현하지 못한 물리현상이
다수 존재한다는 말이 된다. 다시 말해 아직은 정확히
모사하지 못하고 있다는 말이 된다.

이 많은 사람들이 이렇게 오랫동안 연구했지만, 아직도 갈
길이 멀다.

5. 새로운 디바이스를 위한 노력: 입자흡입형 전기추력기

유체역학의 핵심은 특정한 유동 현상을 이해하고 모사하여
예측하는 데 있다. 하지만 때로는 새로운 아이디어를
구현하기 위하여 유체역학이 활용되기도 한다. 내가 최근
연구하고 있는 '입자흡입형 전기추력기'가 그것이다.
　　　　위성의 궤도가 지구에 가까울수록 위성
운용에 있어 관측 해상도, 통신 효율, 그리고 발사 비용
등의 측면에서 이점을 가지기 때문에, 최근에는 고도
500km 이하의 지구 초저궤도(Very Low Earth Orbit,
VLEO)에서 위성 운용 가능성에 대한 관심이 커지고 있다.
초저궤도에서 위성 운용의 가장 큰 문제점은 잔여 대기로
인한 항력이다. 항력을 보상하지 않으면 궤도 유지가
불가능하여 위성 운용에 큰 지장을 줄 수 있다. 항력 보상을

위해 추력기를 탑재해야 하며, 전기추력기가 효율면에서 화학추력기보다 유리하다. 하지만 이런 전기추력기 역시 'Xe' 등 추진제(연료)가 필요하다. 1 제곱미터의 단면적을 갖는 위성을 220km의 초저궤도에서 4년 이상 운용하기 위해서는 100 kg 이상의 추진제가 필요할 것으로 예상된다.

추진제 탑재 중량의 한계를 극복하기 위해, 상층 잔여 대기를 흡입 및 압축하여 이를 추진제로 사용하는 공기 흡입 방식의 전기추력기가 제안되었다. 지상에서 추진제 탑재 없이 궤도에 올라간 후 잔여 희박 대기를 빨아들여 그것을 탑재체로 사용하겠다는 아이디어다. 이것을 '입자흡입형 전기추력기(Atmosphere Breathing Electric Propulsion, ABEP)'라고 부른다. 다음 그림은 입자흡입형 전기추력기의 개략도이다. 유동을 만나는 입구 부분에 유동을 포집할 수 있는 흡입구(intaker)가 설치된다. 포집된 잔여 대기는 전기추력기로 보내지며, 이온화된 후 가속되어 노즐을 빠져나가면서 추력을 생성한다.

입자흡입형 전기추력기의 입자흡입기 설계를 위해서는 먼저 초저궤도 영역의 유동 특성을 이해하는 것이 중요하다. 이 영역의 유동은 매우 희박하다. 잔여 대기 입자는 흡입기 입구로 들어와 흡입기 벽에 부딪히게 되는데, 이 입자가 벽에 부딪혀서 어떻게 움직이느냐는 벽면의 성질에 영향을 받는다. 거울처럼 매끈하게 표면을

희박 기체 와 다 양 성

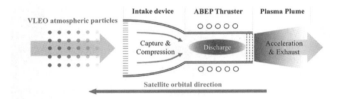

입자흡입형 전기추력기의 개략도

관리해 놓으면 벽에 부딪힌 입자는 들어온 성질을 그대로 가지고 튕겨 나가겠지만, 표면의 거칠기가 커지면(거울과 반대개념) 들어온 입자는 마치 진흙벽에 공을 던지는 것처럼 다시 튕겨 나가지 못하고 표면 온도에 따라 그 운동이 결정된다. 이러한 입자와 벽면의 상관관계에 의해서 입자흡입기의 효율은 크게 영향을 받을 수 있다.

이러한 현상을 이해하기 위한 실험은 쉽지 않다. 지구 200km에서 궤도속도는 8km/s에 달하는 데다가 이 고도에서의 기체는 매우 희박해서(지구 표면보다 10^{-9} 희박하다) 기체는 더 이상 질소와 산소(N2+O2)가 아닌 단원자산소(AO)로 대부분 이루어진다. AO는 표면에 흡착이 잘 되는 성질을 가지고 있어, 입자흡입기의 효율을 매우 낮게 만든다. 잔존 대기를 잘 빨아들일 수 없으면, 연료로 사용하기 충분한 양의 대기를 포집할 수 없다. 이러한 문제에 대해 입자흡입형 전기추력기의 효율을 높이기 위한 입자흡입기 설계나 혹은 표면 코딩을 통한 AO 흡착 저지 등 다양한 방법이 연구되고 있다.

6. 그리고 다양성

내가 유체역학을 연구한다고 하면 대부분 '전산유체역학'(CFD)을 연구하느냐고 묻는다. 그만큼 볼츠만 방정식을 기반으로 비평형유동을 해석하는 나는 유체역학 연구자들 사이에서 매우 소수에 속한다. 아주

희박기체와
다양성

오랫동안 거의 조명되지 못했던 분야이기 때문일 수도 있다(이런 분야가 있는지 모르는 사람이 대부분일지도 모른다). 사실 인류가 '우주'로 갈 생각을 하지 않았다면, 희박기체 연구자들은 지금보다 훨씬 더 적었을 것이다.

나는 많은 시간을 논문 쓰는 데 할애하고, 또 그 시간만큼 연구 제안서를 쓴다. 공학자로서 연구 제안서를 쓸 때 가장 어필해야 하는 것은 연구의 환금성이다. 내 연구가 국가산업과 국가의 우주개발에 얼마나 기여할 수 있는지를 호소해야 한다. 귀중한 세금으로 하게 될 연구이니 당연한 일이라고 생각한다. 내가 잘사는 나라의 연구자라서 그래도 희박기체를 주제로 연구비를 딸 수 있다는 생각에 안도를 하기도 한다.

그럼에도 때때로 '눈에 보이는 기여, 돈으로 당장 바꿀 수 있는 기여'를 해야만 그것이 의미 있는 연구인가? 를 생각한다. 우리는 아직 과학 현상의 많은 부분을 이해하지 못하고 있다(많은 것을 이해하고 있지만 아직 모르는 걸 센다면 정작 아는 것이 그다지 많지 않다는 걸 깨달을 것이다). 모자이크처럼 각 분야에서 곳곳에서 하나씩 알아나가는 각각의 연구가, 어디서 어떻게 만나 하나의 그림을 만들게 될지는 알 수 없는 일이다.

그러니 부디 '그것이 당장 뭐가 그렇게 급할까' 싶은 연구에도 기회가 가기를 바란다. 우주 시대가 열리기도 전에 "아니 그런데 비평형 희박기체는 도대체

어떻게 이해해야 해?"라고 당장은 쓸데도 없는 질문을 던지고 답을 구했던 선배 과학자들이 없었더라면, 이렇게 빠르게 우주 시대에 대응하지는 못했을 것이기에.

길 283 희박 기 체 와
다 양 성

웨어러블
로봇과
함께   한
사이배슬론
도전기

두 번째
삶을 걷다 :

김승환 2024 사이배슬론
엑소스켈레톤 부문 금메달 수상.
하루아침에 사고로 하반신 마비가
되었지만, 웨어러블 로봇과 함께 두
번째 삶의 걸음을 내디뎠다. 현재
"사람을 위한 로봇"을 연구하는
EXOLAB에서 사용자이자 연구자로
사람과 기술을 잇는 새로운 도전을
이어가고 있다.

길

1 . 시 작

"로봇이 우리의 일상을 얼마나 크게 바꿀 수
있을까?"

2017년, 갑작스러운 사고로 하반신 마비가 된 뒤
재활병원에서 지내며 '다시 걸을 수 있을까?'라는 질문을
끊임없이 떠올렸다. 사고 전까지, 내게 걷는다는 건
너무나 자연스러운 행동이었다. 그런데 막상 걸을 수 없게
되니 일상의 많은 것들이 달라졌다. 아침에 침대에서
일어나 물을 마시러 가려 해도 '네 바퀴' 없이는 침대를
벗어나기조차 힘들었다. 한 발 한 발 내딛는 '걷기'가 단순한
이동을 넘어 무엇보다 소중한 일상 속 자유임을 느꼈다.
           기술이 발전하면 언젠가 걸음을 되찾을 수
있으리라는 믿음으로, 현실적인 방법들을 찾아보기
시작했다. 그런데 웨어러블 로봇을 착용해 걷거나, 3D
프린팅으로 맞춤형 의수·의족을 제작하고, 중추신경에
칩을 이식해 보행이나 로봇 팔을 움직이는 등, 세계
여러 곳에서 생각했던 것보다 훨씬 다양한 연구가 이미
진행되고 있었다. 물론 당장 빠른 변화를 기대하기는
어렵겠다고 느꼈지만, 조금씩이라도 걸음에 가까워질 수
있으리라는 희망이 생겼다. 그리고 그 중에서도 내 눈을
사로잡은 건 웨어러블 로봇이었다. 복잡한 수술 없이도
기계적인 방식으로 나를 바로 일으켜 세워줄 수 있을

것 같았고, 여러 방법 중에서도 가장 빠르고 현실적인
해답처럼 느껴졌다.

그 과정에서 사이배슬론(Cybathlon)이라는
대회를 알게 되었고, '다시 걸을 수 있을까?'라는 물음에서
시작된 간절함으로 웨어러블 로봇 개발에 참여하고
연구팀에 합류해 사이배슬론 대회에 도전했다. 일상적으로
휠체어를 사용하게 되면서 장애를 갖기 전엔 아무렇지
않게 지나쳤던 계단이나 얕은 고개가 내게 거대한
장벽처럼 느껴졌었다. 2년여 동안의 긴 여정을 지나오는
동안 내게 걷는다는 것의 의미는 단순한 이동을 넘어 삶의
방식과 의미, 그 자체를 바꾸는 것이자 자유와 삶을 향해
나아가는 정신적·사회적 활력이 되었다.

2. 로봇과 함께
다시 걷다

처음 웨어러블 로봇을 접하게 된 건 2019년 말이었다. 당시
재활을 하던 재활병원 담당 의사에게 "2020년 사이배슬론
대회 참가자를 모집하고 있다"는 이야기를 듣고 잔뜩
설레는 마음으로 단숨에 지원했다. 퇴원 후 한창 사회생활을
하던 시기였지만, 웨어러블 로봇을 직접 입고 걸을 수
있을지도 모른다는 생각만으로도 묘하게 가슴이 뛰었다.

그리고 참가 자격 요건을 확인하기 위한 과정이
시작되었다. 가장 기본적으로 나의 장애 정도를 비롯해

길 287

골다공증 여부를 확인하기 위한 골밀도 검사, 혹시 모를 미세 골절을 보기 위한 X-ray 검사, 발목과 무릎·고관절 등 각 관절의 가동 범위를 확인하는 등 여러 검사와 평가 절차를 거쳤다. 대부분 웨어러블 로봇이 움직일 때 뼈나 관절에 무리가 생기지 않도록 미리 살피기 위한 검사들이었다. 그렇게 여러 관문을 거쳐 '워크온슈트 4(WalkON SUIT 4)'의 초기 모델을 처음 만나게 되었다.

그러나 마음처럼 몸이 따라주지 않는 순간이 찾아왔다. 예상치 못한 건강 문제로 대회를 준비하는 도중 결국 포기할 수밖에 없었다. "딱 한번 걸어봤는데…"라는 진한 아쉬움 너머 몸도 아팠지만, 마음은 더 아팠다. 로봇을 입고 걷는 꿈은 야속하게도 나를 빗겨갔다. 이후 건강을 회복하고, 사고 전부터 교제하던 여자친구와 결혼을 하였다. 그리고 아이도 생기면서 일상은 또 다른 의미로 채워졌지만, 가슴 한편에 "언젠가 꼭 다시 로봇을 입고 걷고 싶다"는 열망은 사그라들지 않고 남아 있었다.

2022년 겨울, 운명처럼 기회가 다시 찾아왔다. KAIST 기계공학과에서 웨어러블 로봇을 함께 만들고 연구할 장애인 연구원을 채용한다는 소식을 접하게 된 것이다. 그동안 틈틈이 병원을 다니며 재활을 이어오던 나는, 다니던 회사의 배려와 가족의 적극적인 응원에 힘입어 "이번엔 놓치면 안 된다"는 마음으로 망설임 없이 지원했다.

길 289

두 번째 삶을 걷다:
웨어러블 로봇과 함께 한
사 이 배 슬 론 도 전 기

채용 확정 후 사흘 만에 연구팀에 합류하기 위해 대전으로 향하면서 어쩌면 '환승 인생'이라 불러도 좋을 새로운 여정이 시작됨을 느꼈다. 2019년에 경험했던 짧지만 강렬했던 기억이 되살아났고, "그래, 이번에는 끝까지 가보자" 라는 결심과 함께, 웨어러블 로봇 개발에 직접 참여할 기회를 얻게 되었다. 한 번 포기했던 아쉬움이 있었기에, 이번엔 어느 때보다 간절하고 진지한 마음으로 로봇과의 동행을 이어가게 되었다. 그리고 그렇게 다시 걸음이라는 단어를 마주하기 시작한 순간부터, 내 삶의 태도와 목적 또한 서서히 변화해 가기 시작했다.

3 . 연 구 와 도 전 ,
로 봇 개 발 ,
치 열 했 던 기 록

2023년 1월, KAIST 기계공학과의 착용형 로봇 연구실, EXOLAB의 문을 열고 들어서자 온갖 부품과 회로, 기계가 가득한 풍경이 눈에 들어왔다. 낯선 환경에 살짝 긴장되기도 했지만, 어릴 적, 한때 과학자를 꿈꾸며 RC기기나 전자제품을 분해·조립하던 기억이 떠올라 묘한 설렘과 기대가 가슴을 뛰게 했다. 이전까지 기계공학과는 거리가 멀다고 여겼는데, 막상 연구실 생활을 시작한다고 생각하니 공학에 대한 막연한 호기심이 책임감으로 이어지는 느낌이었다.

길 291

두 번째 삶을 걷다 :
웨어러블 로봇과 함께 한
사이배슬론 도전기

연구실 한 켠에는 지난 대회에서 우승을 거머쥔 '워크온슈트4'가 자리를 잡고 있었다. 그리고 새로 개발 중인 워크온슈트는 지금까지의 로봇과 완전히 다른 형태라는 기획만 잡혀 있을 뿐, 아직 구체적인 실물은 없었다. 그러다 보니 머릿속에선 자연스럽게 가장 기초적인 질문부터 떠올랐다. "어떻게 하면 도움 없이 쉽게 로봇을 입을 수 있을까?"

이전의 워크온슈트4나 다른 웨어러블 로봇들은 대부분 구동기(모터)를 제외한 배터리나 전장부품(전기와 전자에 관련된 회로와 같은 부품)이 사용자가 착용했을 때 배낭처럼 등 쪽에 위치해 있었다. 그렇기에 구조적으로 휠체어를 사용하는 장애인이 로봇이 앉아있는 옆으로 다가가서 로봇의 위로 옮겨 앉아야 했다. 이런 과정에서 자칫 낙상 위험이 있었고, 딱딱한 프레임에 스치거나 부딪혀서 상처나 욕창이 생길 우려도 있었다. 그렇게 앉은 다음에는 몸과 로봇을 스트랩이나 버클로 견고하게 고정하는 과정이 필요했는데, 혼자 하기엔 쉽지 않아 매번 누군가의 도움을 받아야만 했다. 그리고 로봇 자체를 이동하거나 보관하는 것도 쉽지 않았다.

그래서 우리는 "휠체어에 앉아 있는 장애인이 스스로 로봇을 착용하고 x서는 것"을 목표로, 더 나아가 "로봇이 사용자에게 직접 다가와 착용할 수 있다면 어떨까?" 하는 아이디어까지 논의하게 되었다. 비록

실현하기 쉽지 않아 보였지만, 그런 발상이 곧 앞으로
입을 수 있는 새로운 '워크온슈트 F1(WalkOn Suit F1)'
프로젝트의 출발점이 되었다.

　　　　　연구실 동료들은 다양한 공학적 해결책을
제시했고, 나는 휠체어를 사용하는 장애인으로서
느끼는 바를 가감 없이 이야기하였다. 시작은 일명 "마비
세미나"였다. 내가 어떻게 하반신 마비가 되었는지, 척수가
손상되면 몸에 어떤 영향을 미치는지 등을 구체적으로
설명하는 시간을 가졌다. 처음에는 내 이야기를 꺼내는
것이 조금은 조심스럽고, 두렵기도 했지만, 진심으로 귀
기울여 주는 동료들을 보며 마음이 놓였다.

　　　　　운동신경과 감각이 전무한 하반신 완전마비
장애인은 작은 상처도 쉽게 욕창으로 이어질 수 있기에
몸에 닿는 착용부가 고르게 압력을 분산해 주어야 했고,
이전 로봇들을 사용할 때 불편했던 부분, 실제 보행 시
다리 근육의 늘어짐 등 세세한 부분까지 모두 빠짐없이
고려되어야 했다. 3D로 몸을 스캔하기도 했지만, 단순히
3D 스캔만으로는 알 수 없는 부분이 많았기에 천장 레일에
워킹 하네스(안전띠)를 착용하고 매달려서 앉아있을 때와
서 있을 때 다리형태가 어떻게 달라지는지 동료들에게
직접 보여주기도 했다. 그렇게 내 몸과 로봇 간의
상호작용을 세밀히 분석하며 논의를 이어갔고, 이 과정에서
새로운 설계 아이디어들이 하나둘씩 떠오르기 시작했다.

길 293

두 번째 삶을 걷다 :
웨어러블 로봇과 함께 한
사이배슬론 도전기

사용자와 공학자 간의 적극적인 소통은 연구 초기부터 새로운 가능성을 열어주었다. 이전에는 먼저 로봇을 설계·개발하고, 나중에 사용자가 테스트하는 식이었다면, 이번에는 사용자가 기획 단계부터 참여함으로써 실용성과 편의성, 그리고 기술적 가능성을 일찍부터 알아갈 수 있었다. "최종사용자가 직접 사용할 수 있도록 만드는 로봇이 정작 불편하다면 무슨 소용이냐"는 생각이 모두의 공감대가 되었다. 프로젝트의 모든 과정은 이른바 '사이보그 올림픽'이라 불리는 사이배슬론을 향하고 있었다. 사이배슬론은 장애인들이 로봇과 같은 공학 보조기기를 이용해 일상생활을 모사한 여러 미션을 수행하며 경쟁하는 국제대회이다.

우리는 워크온슈트 F1이 단순히 걷기만 잘하는 로봇에 머무르지 않고, 이전 대회보다 한층 높아진 난이도의 미션들을 안전하고 능숙하게 해내야 하고, 무엇보다 사용자에게 더 가깝게 다가갈 수 있어야 한다고 생각했다. 착용성, 균형유지, 안전성, 사용자 인터페이스(UI)에 이르기까지 고려할 요소가 끝도 없었지만, "실험실에 갇힌 로봇이 아닌, 진짜 세상에서 활약할 로봇을 만들자"는 목표가 있었기에 매일같이 아이디어를 내고 실험을 거듭했다.

물론 현실은 결코 녹록치 않았다. 예상하지

두 번째 삶을 걷다 :
웨어러블 로봇과 함께 한
사이배슬론 도전기

296

못한 고장은 다반사였고, 하드웨어나 알고리즘을 전면
수정해야 하는 상황도 있었다. 대회가 불과 서너 달 앞으로
다가왔는데도, 로봇을 입고 한 번이라도 안정적으로 걸어
보기가 쉽지 않아 매일같이 불안감에 시달리기도 했다.
'정말 이대로 출전은 할 수 있을까?'라는 의문이 들만큼,
준비 과정이 순탄하지 않았다. 그럼에도 팀원들과 함께
한 걸음씩 쌓아가며 로봇은 점점 목표에 가까워졌다.
초기에는 넘어지기도 하고, 회로에서 불꽃이 튀며 타버린
적도 있었지만, 점차 더 오래, 안전하게 걸어 나갔고,
그렇게 우리는 단순한 보조기기가 아닌, 사람의 일상에
스며들어가는 로봇의 가능성을 조금씩 체감해 나갔다.
        사이배슬론에서는 미션마다 필요로 하는 동작이
달랐는데, 다른 종목도 쉽지 않았지만, 무엇보다 다섯 번째
미션인 목발 없이 걷기(Free Walking)는 워낙 어려웠다.
목발의 지지 없이 로봇에 몸을 맡기고 걸어가야 하는
미션으로, 로봇과 내가 온전히 하나되어 걸어야 했는데,
누구 하나 균형을 잃는 경우엔 곧바로 넘어질 위험이
있었다. 수많은 실험을 거쳐 팀원들은 제어 알고리즘을
바꿔 나갔고, 처음 목발의 도움 없이 보행에 성공했을 때
모두 환호성을 질렀다.
        마침내 2024년 10월 27일, 워크온슈트 F1으로
"우리 모두가 함께 만들어낸, 진짜 사람을 위한 기술"을
사이배슬론에서 선보였다. 엑소스켈레톤 레이스(웨어러블

두 번째 삶을 걷다 :
웨어러블 로봇과 함께 한
사이배슬론 도전기

298

로봇)부문에서 우리는 6개의 미션을 6분 41초 기록으로 완수하며 경쟁 팀들과 큰 차이로 금메달을 거머쥐었고, 무엇보다 로봇이 사용자에게 직접 다가와서, 누군가의 도움 없이도 스스로 착용하는 모습을 보여주며 기술 혁신과 사용자 친화성이 인상적이었다는 평가를 받아, "Jury Award"까지 수상하는 영광을 얻게 되었다. 준비를 열심히 했으면서도 우리가 준비한 것들을 제대로 보여줄 수 있을지 내심 걱정이 컸지만, 다행히 로봇이 떨지 않고 잘 도와준 덕에 잘 마칠 수 있었던 것 같다.

장애인으로서, 사용자이자 연구원으로서 로봇 개발에 참여한다는 것은 내 몸이 곧 테스트베드가 됨을 의미하기도 했다. 하지만 그만큼 기술과 사람을 적극적으로 이어주는 가교 역할을 할 수 있었다고 생각한다. 이 과정에서 스스로 서고 걷는 일이 얼마나 큰 자유와 희망을 주는지 매 순간 함께 느꼈고, 팀의 사기도 한껏 높아졌다. 그리고 그 열정은 곧 사이배슬론 대회를 넘어, "더 많은 사람들이 웨어러블 로봇을 입고 걸을 수 있는 미래"를 꿈꾸게 하는 동력이 되고 있다. 언젠가, 우리가 일상에서 혼자 로봇을 입고 자유롭게 이동할 수 있지 않을까 하는 '막연한 꿈'이 점차 손에 닿을 듯 느껴졌다.

두 번째 삶을 걷다 : 웨어러블 로봇과 함께 한 사이배슬론 도전기

300

4. 걸음을 넘어 느낀 앞으로의 미래

연구실에서 워크온슈트 개발과정에 직접 참여하며 가장 크게 느낀 점은, 웨어러블 로봇 기술이 단순히 "걸을 수 있게 해준다"는 기능적 영역을 넘어, 우리의 삶 전반을 바꿀 수 있는 잠재력을 지녔다는 사실이다. 일상 속 작은 문턱 같은 물리적 장벽은 물론이고, 일부 사람들의 시선이나 장애에 대한 사회적 편견 속 보이지 않는 문턱까지도 함께 넘어설 수 있겠다는 가능성을 경험하면서, 웨어러블 로봇이 불러올 변화의 폭이 생각보다 훨씬 클 수 있겠다는 생각을 하게 되었다.

처음 로봇을 입고 몇 걸음을 내딛었을 때, 자연스럽게 아들의 첫 걸음마가 떠올랐다. 아이가 한 걸음 한 걸음 휘청거리다 넘어져도, 결국엔 끈질기게 일어서 걷던 모습처럼, 나 역시 처음 워크온슈트를 입었을 때는 균형 잡기가 쉽지 않았고, 아무런 감각이 없다는 사실에서 오는 공포심과 함께 낯설고 이상한 기분이 들었다. 서서히 로봇과 한 몸이 되어가며 로봇을 몸의 일부라 생각하고, 몸을 가누다 보니 어느 순간부터는 시선을 발끝이 아닌 앞을 향해 둘 수 있게 되었다. 그제야 한층 넓어진 시야를 실감하며 "아, 이렇게 걸었었지" 스스로 되뇌었다. 잠시나마 단순한 걸음을 넘어 자유를 되찾는 심리적 해방감까지 얻게 되는 순간이었다.

길 301

두 번째 삶을 걷다: 웨어러블 로봇과 함께 한 사이배슬론 도전기

이처럼 웨어러블 로봇은 휠체어나 보행보조기 등 기존의 보조기기를 사용하는 사람에게 "새로운 가능성"을 보여줄 수 있다고 생각한다. 실제로 고령자나 반복적으로 무거운 물건을 들어야 하는 사람들에게도 충분히 유용할 수 있다는 점에서, 연구실 안팎에서도 다양한 시도가 이뤄지고 있다. 예컨대 워크온슈트 F1의 곳곳에 사용된 핵심기술들은 다른 웨어러블 로봇에 폭넓게 응용될 수 있어, 장애인을 위한 기술을 넘어, 사회 전반에 걸쳐 다양한 환경에 적용될 가능성이 충분하다는 의미이기도 하다.

물론 아직 해결해야 할 과제도 많다. 사용자의 신체 특성에 따른 착용성이나, 제어 알고리즘, 그리고 무엇보다 상용화를 위한 정책·제도적 지원이나 사회적 인프라 같은 현실적 장벽도 무시할 수 없다. 그렇지만 이런 문제를 어떻게 풀어갈지 고민하고 도전하는 과정 자체가 웨어러블 로봇 기술의 발전을 더욱 가속화할 것이라 믿는다. 그렇게 한 발씩 이어가다 보면, 웨어러블 로봇은 더 이상 특정 환경에서만 쓰이는 보조기기가 아니라, 많은 사람들의 삶을 바꿀 일상 속에서 쉽게 마주할 기술로 자리매김할 수 있으리라 생각한다. 언젠가 로봇을 입고 출근하거나 운동을 하는 일이 낯설지 않은 풍경이 될 수도 있다고 생각하면, 그 미래는 결코 멀지 않게 느껴진다.

"내가 다시 걸을 수 있을까?"라는 물음으로

길 303

두 번째 삶을 걷다:
웨어러블 로봇과 함께 한
사이배슬론 도전기

시작된 긴 여정이, 어느새 "로봇이 누군가의 새로운 걸음을 찾아줄 수 있을까?"라는 더 큰 물음으로 확장되었다. 사이배슬론 대회에 나가기까지 함께 겪었던 수많은 시행착오는, 결국 걸음이라는 평범해 보이는 동작이 얼마나 큰 자유이자 가능성인지를 다시금 깨닫게 해주었다. 이 과정을 통해, 기술이 사람을 바꾸고 동시에 사람도 기술을 끊임없이 개선해 나간다는 사실도 분명히 알게 되었다. 장애 여부를 떠나 우리가 상황에 따라 운동화를 신거나 멋진 정장을 입는 것과 같이, 로봇을 입고 자유롭게 움직일 수 있는 세상이 열릴 것이라는 믿음은 더욱 확고해졌다. 그런 미래를 향해, 나는 오늘도 로봇을 입고 새로운 걸음을 내딛을 준비를 하고 있다.

"서평은 그 자체로 하나의 우주이다"

서울 리뷰 오브 북스

2025 봄. 17호
헌법의 순간

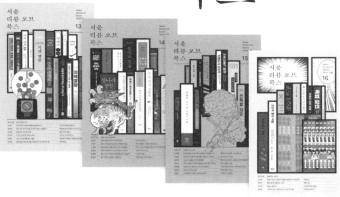

책을 아끼고 좋아하는 분들과 함께 이 우주를
담고 싶습니다. 그리고 우리는 독자들과
공감하는 글을 만들기 위해 독자들의 의견을
수렴하고 반영하는 개방된 창구를 항상 열어둘
것입니다. 우리 역시 "계속 해답을 찾아
나가는" 존재가 되어《서울리뷰오브북스》를
틀과 틀이 부딪치는 공론장으로 만들어
가겠습니다. 하루에도 수십 권의 책이 쏟아져
나오는 시대, '어떤' 책을 '왜' 읽어야 하는가?
《서울리뷰오브북스》는 그 답을 서평에서
찾습니다.

지난 호 특집

정기구독 및 뉴스레터 구독 문의
seoulreviewofbooks@naver.com
자세한 사항은 QR코드 스캔

@seoul_reviewofbooks

인 덱 스
에 피 1 - 3 1 호

숨-키워드

307

308

309

갓 – 뉴스

322

과학자들의 방과 후 수다

카오스 사이언스

2025. 3. 19
PM 7:00 업로드

058

2025.1/2

읽고 쓰는 우리가
자유롭게 즐길 수 있는
격월간 문학잡지

Axt

폭 [Wide]

"미래를 아무도 모른다는 사실이 용기가 되어요.
미래를 알 수 없기에 두려워하시는 분들이 많은 것도 알지만,
'그러나' 우리는 미래를 알 수 없기에 현재에 최선을 다할 수 있는 것 아닐까요?"

— 천선란 소설가

에피 정기구독안내

관점이 있는 과학잡지 에피와
함께하실 독자 여러분을 기다립니다.

과학잡지 에피는 계간지입니다.
매년 3월, 6월, 9월, 12월 네 차례 발간됩니다.

정기구독료
1년 60,000원(정가 72,000원)

정기구독 접수처
네이버 스마트스토어
smartstore.naver.com/eumbooks

문의처
전화 02-3141-6126
이메일 epi@eumbooks.com

과학잡지 에피 통권 31호(2025년 봄)

발행일 2025년 3월 10일
발행인 주일우
편집주간 전치형
편집장 강지웅
디자인 워크룸 프레스
인쇄 삼성인쇄

발행처 이음
등록일 2017년 9월 11일
등록번호 마포, 바00157
주소 서울시 마포구 토정로 222 한국출판콘텐츠센터 210호
전화 02-3141-6126
팩스 02-6455-4207

전자우편 epi@eumbooks.com
홈페이지 www.eumbooks.com
페이스북 @epi.science
인스타그램 @epi_magazine

ISSN 2586-2006
값 18,000원